中庸集義評釋

毛寬偉 著

中庸集義評釋目錄

自序

宋朱熹研讀羣經，由西漢戴氏禮記四十九篇中，取出大學〈原篇第四十二〉中庸〈原篇第三十一〉與論孟合併為四子書，名曰四書集註，嘉惠學子，而聖學修齊治平之精義，於是乎大備。高瞻遠矚，度越昔賢矣。千餘年來，歷朝勸習聖學諸君子，以四書為基礎，能躬行實踐，出類拔萃，正氣以伸，黃炎衍繼。出為公侯將相，豐功偉績，萬民景仰；隱為師儒碩士，著述闡發民族正統精神。言行足為世法，史乘所記，何可勝道哉。

蓋天命之性，聖凡平等。惟聖人能盡心知性知天，所謂先得我心之所同然耳。君子之學，本諸身，由戒慎恐懼以持其心，日用倫常之儀以篤其志，博審慎明篤五者以勤其事。動靜言行，表裏一致，習久則潛移默化，希賢希聖希天之學以此，人皆可為堯舜亦以此，所謂自明誠，誠則明矣。朱子曰：「德崇業廣，乃復其初，昔非不足，今豈有餘」之謂也。

宋周子敦頤，研習聖學，嚼義致極精微。所著太極圖說通書，上承洙泗，下啓後儒，世稱理學之祖。而宋史表彰當代奇才，特立「道學傳」，首周子、二程子、張子、邵子、朱子及門人等均立傳。實以聖學足以拯救家邦，珍惜吾民族數千年之文化，修史者可謂卓識遠見矣。

魏晉之阮籍、嵇康、劉伶等輩，研求黃老與釋氏之學，未識老子之「為無為，而無所不為」，及釋氏「應無所住而生其心」諸語之真諦，皆與聖門盡心知性知天之學無異，而自稱得道，放情肆志，不矜細行，謂「禮節豈為吾輩設哉」！學入歧途，對先聖修己治人之實學，蒙上污點，此孔子所謂反中庸，而與鄉愿德賊之流何異？

明代崇尚義理之學，學子講求名節。蔚成風氣。迄至末季，政教衰微，寇賊蜂起，流竄各地。而守土之吏，與志士仁人，秉衛國保民之重責，及志不可奪之大義，雖處無可奈之境，置生死於度外，壯烈成仁者，不可勝數。史臣贊稱：「明代二百七十餘年，養士之效，其在斯乎」！孟子所謂：「理義之悅我心，猶芻豢之悅我口」。非平時涵濡默化，孰能臨大節而堅立不移者乎？比之貪生畏死，搖尾乞憐，委曲求全，為後世所唾棄者，實不可同日語也。

清乾嘉盛時，治經為之一變，崇尚考據，於名物訓詁，審定綦詳，一字之微，旁徵博引，每至數千言，可謂勤矣。後之治經者，實所利賴。然研求身心性命之學微矣。

咸豐間洪楊之亂，曾左胡羅輩出，研習修齊治平之實學，本孔子春秋褒貶之大義，「夷狄進於中國，則中國之」。當時衛道而戰，羅澤南以窮秀才之身份，率眾生徒，如李續賓、續宜等，參與作戰，湘軍士氣如虹，所向無敵，清室賴以中興。羅澤南陣亡於武昌，李續賓繼續指揮作戰。曾國藩作墓誌云：「不憂門庭多故，而憂所學不能拔俗而入聖；不恥身世之艱，而恥無術以濟天下」。又銘曰：「洛閩之術，近世所捐」。「朝出鏖戰，暮歸講道」。「仍立豐功，以雪斯恥」。

則知研求先聖理學並非空談，乃躬行實踐之實學也。

袁枚博學多才，名聞中外，詩文膾炙人口，但不講義理之學，自謂「我不願吃聖廟裏那塊冷肉」！蓋清制，凡不講義理之學，學雖淵博，歿後不能入聖廟配享，則立憲諸君子，深知聖人立教之旨，重在身心性命明體達用之學耳。

上述千餘年來，為學術之梗概，列舉數端。然余意以窮經重在探求先聖立言之主旨，以期明善誠身，躬行實踐之效。本根既立，正氣以申，雖洪流巨浪，能堅立不移，出處進退，咸得其當。孔子云：「貧而樂，富而好禮」。孟子言舜：「被袗衣，二女果，若固有之」。「雖大行不加焉，雖窮處不損焉，分定故也」。人人有此實學，順親悌長，忠誠相見，和睦共處，則國之富強之本既固。治政者，倡之以百工技藝之學。取歐美科技之所長，使民生趨於樂利之境。然其主旨，皆以復民之性，所謂修道之教為依歸。而淫聲異服奇技奇器，有損民性者不與焉。救國救民之道，其在斯乎！富強康樂，長治久安之道，亦在斯乎？

本書所述哀公問政章，修齊治平之方，五達道、三達德、九經之行，分析綦詳，體用兼備。程子曰：「孔門傳授心法」，盡性事天之學，救國救民之大法也。末云雖愚必明，雖柔必強。深切望人必有誠身之工夫，而後救國救民之事業可達。孟子所謂有仁心而行仁政也。

而全篇各章，闡發費隱之義，持修之實功，聖凡平等，學及其至，乃貫徹天人。孟子所謂「萬物皆備於我，反身而誠，樂莫大焉。」實為讀羣經之鑰。以之讀史，數千年盛衰興亡之所自，亦瞭若指掌矣。孔子云：「其或繼周者，雖百世可知也」。救國救民之道，捨此別無捷徑可圖。否則無本之學之政治，雖能強盛於一時，一振即蹶矣。孟子云：「雞鳴而起，孳孳為善者，舜之徒也。雞鳴而起，孳孳為利者，蹠之徒也」。善惡之分野，存乎一心。苟無戒慎恐懼之工夫，則人欲無窮，循是而不反，必至縱欲敗德，貪而無厭，相互爭奪，卒使生民荼毒，家國安有寧日乎？故君子必務其本。

愚於中庸，遵朱子熹分章，并錄全部註解，自宋程子明道伊川「二程全書」，張九成「中庸說」，元、許謙「讀中庸叢說」，明、釋德清「中庸直指」，清、劉沅「四書恆解」，楊明時「中庸劄記」等名著，其於先聖與子思之立意，確有心得銓釋者，間有不盡同意者，亦採集若干，以客觀立場，用以啓發學者思考，參比研究，深入探求，進而切己體察，躬行實踐，動靜言行，式則式依，以發揚國粹為己任，立大本，知化育，參三才，千秋萬世昭示無已乎！孔子有言，我非生知，好古敏求，謹遵古訓以自勉耳！愚以為張九成、釋德清、劉沅三先賢為全然通達者，餘皆略有瑕疵，體用未透澈通明故也。

自唐宋迄清，近千年來，均以科甲取士，學子多趨尚辭章，期由科第而出仕。然於誠意慎獨聖學之實功，研求者寡矣。且有以自身雖居顯要對聖學未下切實工夫，從而譏議，排除異己，謂為無用之學，眾皆和之。甚者至謂「五千年以上之政教文化，不能治五千年以下之今日」。倡導異端邪說，以濟其欲，斯乃天性湮滅，人欲橫流，致使家國人民，遭受亙古未有之浩劫，且殃及異國，而莫知止，誠足痛心疾首。

愚懼聖學之不明，而流於禍患，特擬理學釋疑，理學指要及孔孟精微各一篇，指引學者，並就一般惑者識者，列舉數則而答辯之，附於本書之後，籍使學者，得明是非，勿入歧途，而聖學得以流行於不墜，共登彼岸，優游乎大同祥和之勝境，斯則愚之志也乎。

愚幼蒙　祖父樹駿公教誨，大學入東吳中文系後，始潛心宋明理學之探索，以先閱「西洋哲學史話」之關係，初期實有格格不入之感，晝思冥想，務求解答。嘗垂釣海邊，執竿候魚，亦不忘所學，返家後必於客廳或書房，虛心請教，每遇祖父，嘗曰：「來！來！來！尚有問題否？有問題一定要問到底」？愚反復纏問祖父均耐性溫和解說，閱三、五載，始略明儒釋道三家體用之大凡也。

樹駿公於遜清末，應孫中山、譚延闓二先生之請，參與湖南長沙首義，堅持不殺滿人為原則，獲孫先生之首肯，是以一夜變動，不流血而革命成功，府台全家大小，亦親送至泊靠於湘江之英國砲艇上載至上海，財物毫髮未損，三萬六千餘滿人，悉發通行路條任其北返。蓋本子曰「夷狄進入中國，則中國之」而行事，否則寃寃相報何時了！

未入革命黨，旋即隱退，講學於長沙順星橋，大火後遷嵩南鄉白水塘，係雙重庭院計一百二十餘間之大房屋，每年收學生二百人，不收任何費用，免費供給吃住，並供應書籍，有聲鄉里，湖北江西來求學者亦夥，愚幼時讀三字經、爾雅等基礎學時，即與大余十七、八之大學生共讀於大教室，黑漆原木大書桌之一隅也，曚曈憶往，歷歷如昨，今也了無痕跡，不勝唏噓，徒呼奈何！

歲在壬午 春正月國立台灣海洋大學教授兼共同科主任長沙毛寬偉識。

中庸集義評釋

◎毛寬偉 著

子程子曰：不偏之謂中，不易之謂庸。中者，天下之正道。庸者，天下之定理。此篇乃孔門傳授心法，子思恐其久而差也，故筆之於書，以授孟子。其書始言一理，中散為萬事，末復合為一理。放之則彌六合，卷之則退藏於密。其味無窮，皆實學也。善讀者，玩索而有得焉，則終身用之，有不能盡者矣。

宋　朱熹曰：中者，不偏不倚無過不及之名。庸，平常也。

元　許謙曰：中庸大學二書，皆成片文字，首尾備具，故讀者尤難。然二書規模，又有不同。大學是言學，中庸是言道。大學綱目相維，經傳明整，猶可尋求。中庸贊道之極，有就天言者，有就聖人言者，有就學者言者。廣大精微，開闔變化，高下兼包，巨細畢舉，故尤不易窮究。

明　釋德清曰：中者，人人本性之全體也。此性，天地以之建立，萬物以之化理，聖凡同稟，廣大精微，獨一無二，所謂惟精惟一，大中至正，無一物出此性外者，故云中也。庸者，平常也，乃性德之用也。謂此廣大之性，全體化作萬物之靈，即在人道日用平常之間，無一事一法不從性中流出者。故吾人日用行事之間，皆是性之全體大用顯明處。以全中在庸，即庸在全中，非離庸外別有中也。子思得孔子之心傳，故述其所傳者如此，命其名曰中庸。

愚謂：

子程子曰：「此篇乃孔門傳授心法」。心法何？使人心不偏不易，以入於正道定理之法也。「筆之於書，以授孟子」。「孟子道性善，言必稱堯舜」(註一)，薪傳一貫，皆自此篇得來。朱子曰：「孟子七篇之中，觸類旁通，無非此理」(註二)。

「其書始言一理」，一理何？天命之性也。「中散爲萬事」，萬事何？天無私覆，地無私載，文武周公之禮樂，皆以天命之性爲之，故能參贊天地萬物而無一遺漏。「末復合爲一理」，一理何？性也。合者，體用一源也。

天命之謂性，率性之謂道，修道之謂教。道也者，不可須臾離也，可離非道也。是故君子戒慎乎其所不睹，恐懼乎其所不聞，莫見乎隱，莫顯乎微，故君子慎其獨也。喜怒哀樂之未發，謂之中。發而皆中節，謂之和。中也

(註一)見四書集註孟子滕文公章句上首章。
(註二)見四書集註孟子滕文公章句上首章之末段註。

者，天下之大本也。和也者，天下之達道也。致中和，天地位焉，萬物育焉。

右第一章

宋　朱熹曰：命，猶令也。性，即理也。天以陰陽五行化生萬物，氣以成形，而理亦賦焉，猶命令也。於是人物之生，因各得其所賦之理，以爲健順五常之德，所謂性也。率，循也。道，猶路也。人物各循其性之自然，則其日用事物之間，莫不各有當行之路，是則所謂道也。修，品節之也。性道雖同，而氣稟或異，故不能無過不及之差。聖人因人物之所當行者，而品節之，以爲法於天下，則謂之教，若禮樂刑政之屬是也。蓋人知己之有性，而不知其出於天；知事之有道，而不知其由於性；知聖人之有教，而不知其因吾之所固有者裁之也。故子思於此首發明之，而董子所謂道之大原出於天，亦此意也。解天命之謂性三句

道者，日用事物當行之理，皆性之德而具於心，無物不有，無時不然，所以不可須臾離也。若其可離，則豈率性之謂哉！是以君子之心，常存敬畏，雖不見聞，亦不敢忽，所以存天理之本然，而不使離於須臾之頃也。解道也者，至其所不聞。

見，音現。隱，暗處也。微，細事也。獨者，人所不知而己獨知之地也。言幽暗之中，細微之事，跡雖未形，而幾則已動，人雖不知，而己獨知之。則是天下之事，無有著見明顯而過於此者。是以君子既常戒懼，而於此尤加謹焉。所以遏人欲於將萌，而不使其潛滋暗長於隱微之中，以至離道之遠也。解莫見乎隱，至慎其獨也。

喜怒哀樂，情也。其未發，則性也。無所偏倚，故謂之中。發皆中節，情之正也。無所乖戾，故謂之和。大本者，天命之性，天下之理，皆由此出，道之體也。達道者，循性之謂，天下古今之所共由，道之用也。此言性情之德，以明道不可離之意。**解喜怒哀樂，至達道也。**

致，推而極之也。位者，安其所也。育者，遂其生也。自戒懼而約之，以至於至靜之中，無少偏倚，而守其不失，則極其中，而天地位矣。自謹獨而精之，以至於應物之處，無所差謬，而無適不然，則極其和，而萬物育焉。蓋天地萬物，本吾一體。吾之心正，則天地之心亦正矣。吾之氣順，則天地之氣亦順矣。故其效驗，至於如此。此學問之極功，聖人之能事，初非有待於外，而修道之教，亦在其中矣。是其一體一用，雖有動靜之殊，然必其體立，而後用有以行。則其實，亦非有兩事也，故於此合而言之，以結上文之意。**解自中和，至萬物育焉。**

右第一章，子思述所傳之意以立言。首明道之本原出於天，而不可易，其實體備於己，而不可離。次言存養省察之要。終言聖神功化之極。蓋欲學者於此，反求諸身而自得之，以去夫外誘之私，而充其本然之善，楊氏所謂一篇之體要，是也。其下十章，蓋子思引夫子之言，以終此章之義。

宋　張九成曰：天命之謂性，此指性之本體而言也。率性之謂道，此指人之求道而言也。修道之謂教，此指道之運用而言也。天命之謂性，第贊性之可貴耳，未見人取之爲己物也。率性之謂道，則人體之爲己物，而入於仁義禮智中矣。然而未見其設施運用也。修道之謂教，則仁行於父子，義行於君臣，禮行於賓主，智行於賢者，而道之等降隆殺於是乎見焉。中庸之立名，於此三者矣。

又曰：不睹不聞處，微有私意間之，則非性之本位，而墮於人欲矣，故曰可離非道也。

中，指性言，故為大本。和，指教言，故為達道。未發以前，戒慎恐懼，無一毫私欲；已發之後，人倫之序，無一毫差失，此天地萬物之宗也。所以言天地位於此，萬物育於此。天地萬物，皆在吾中和之中，中和之用大矣。

元 許謙曰：諸書不曾言戒慎工夫，惟中庸言之。蓋子思自性上說來，學者欲體道以全性。若無此工夫，則心未發時，可在道之外邪？

天者，理之所出。心者，理之所存。心知即理動，理動即天知。故有萌於心，則著見顯明莫大於此，豈必待人知之乎？

致中是逼向裏極底，致和是推向外盡頭。

位育，以有位者言之固易曉。若以無位者言之，則一身一家，皆各有天地萬物。以一身言，若心正氣順，則自然睟面盎背，動容周旋中理，是位育也。以一家言，以孝感而父母安 以慈化而子孫順，以弟友接而兄弟和，以敬處而夫婦正，以寬御而奴僕盡其職，及 家之事，莫不當理，皆位育也。但不如有位者所感大而全爾。

此書以中庸名篇，而第一章，乃無中庸字，未發之中，非中庸之謂也。蓋率性之謂道一句，即中庸也。此句總言人物，是說自然能如此者；在人則為聖人能之，即中庸也。若眾人則教之使率其性，期至於中庸也。

明 釋德清曰：性本來光光明明，故謂之明。乾乾淨淨，無有絲毫雜染，故謂之精。不與萬物為侶，故謂之一。本來無第二妄念，故謂之至誠。率，順也。謂順此光明精一至誠之性，以之事君，則性忠。以之事親，則性孝。以之處夫婦，則性和。以之待朋友，則性信。以之愛物則同體，謂之性仁。以之處事，則一毫一差，各得其宜，謂之性義。以之處上下之分，截然不亂，謂之性禮。以之明鑒事物，一毫不謬，謂之性智。是則人生天地，處於君臣父子夫婦朋友之間，以至忠孝和信仁義禮智，皆從性中流出，發現於日用當行之間，故謂之道。非離此性外別有道也。故曰率性之謂道。

凡人不率性而率情，情僞出則百弊生。弊生而情愈僞，情愈僞而去性愈遠。是以世人漸趨漸下，物欲固蔽，愈遠愈深。愚不肖者，則只知有物欲之僞情，而不復知有本然之真性矣。其間即有知者，而或又索隱求深，知之太過。而賢者，或又高飛遠舉，矯世戾俗，而行之近怪，是皆不能日用尋常當行之道，君臣父子之間，而各盡性正命以適中也。是故聖人憫之，不得已而裁成以輔相之，務各使之以合中道，故立言以垂教。所謂修道者，修，即如世之修理物件一般，使其不足者補之，有餘者去之。只就在人人不率性處，或太過者折之，不足者誘引之，以之至於中道，將以復其性真耳。故曰修道之謂教。非是離率性之道，分外別有教也。

清　楊名時曰：不睹不聞，所該甚廣。或獨一室，或與人應接，我心獨知處，皆人所不睹不聞也。能如此時戒慎恐懼，自然喜怒哀樂未發時，能保全不偏不倚之體。及至發時，能適合於無過不及之用。不睹不聞而獨知處，尚未涉喜怒哀樂，而喜怒哀樂之根，與喜怒哀樂之幾，俱係於此。

天地位，萬物育，隨人所處地位皆可說。自天下至一國一鄉一家一身皆然，乃是實理實事，堯舜之地平天成，時雍風動，鳥獸草木咸若，是堯舜之位育也。孔子雖不得位，教澤及於天下後世，是孔子之位育也。

清　劉沅曰：張子云：「在天爲命，在人爲性」。子思因當時言道者，流入高渺，特以中庸立說。人性即是天性，此何等平常，然至神至奇，即在至平至常之中，所以爲中庸。詩曰：「維天之命，於穆不已」。命字如秉質意，天之廣大高明，無所不統，然其生化於無窮，流行而不息，有箇主宰之理。在易有太極，是乾坤之真精，即天之命也。惟此太極之粹，天以之清，地以之寧，人以之聖，本無二理，故名曰道。特分而言之，不得不易其名，以析其解。

子思言天有所以爲天之理，是爲天命。人爲天地之心，獨得天命之全，此之謂性。性既爲天之理，則人果能率其性善之本體，而所存所發，莫非天理，此之謂道。第人性雖即天性，而受氣受形，其間清濁厚薄氣化之雜，不盡純乎天命，則氣拘物誘，遂失其本。然聖人全己之性，則心一天心，道一天道，或爲君相師儒，因人之性，而制爲禮樂刑賞，裁其太過，輔其不及，修明大道，使人各全乎天命，此之謂教。

老子曰：「有物渾成，先天地生」。儒者斥之，不知老子之意，言天地成形之後，道在天地，而天地未形之始，道本無名，道之一字，固自後人名之，而太極之初，天地非有，又將何以名道？夫子曰：「易有太極，是生兩儀」。又曰：「大哉乾元，萬物資始，乃統天」。夫天也而有以統之乎？統天之理，非即太極乎？老子所謂渾成先天地生者，非即此意乎？第天地即太極，太極即天地。自其未分未形言之，則祇可言太極，不可言天地。自其已奠已形言之，則可以言天地，亦可以言太極。

清　吳昌瑩曰：是故君子戒愼乎其所不睹，恐懼乎其所不聞，其，猶於也，皆言於所也，於其互相爲訓。

世界書局印「經詞衍釋」第五十一頁

愚謂：

中庸要義，在首章。首章要義，在天命之謂性一句。性字要緊，命字尤要緊。通性命之源，而後修道之教，使人民率性之方，皆有所下手。大之如禮樂政刑，或損或益，其裁成輔相，皆不可外此而別有所爲也。

修喜怒哀樂未發之中，即修道謂教之法也。功在戒愼恐懼，而戒恐懼，又在修之於不睹不聞，功夫果做到於不睹不聞，則臨事時必生效力。周子所謂「靜無而動有」(註三)也。聖人之治天下，其要妙都從修道之謂教一句下手。其建立之精神，雖在於無形上有功夫，而著手處卻在有形之淺近處，使人人易得易從。領取易，則身心日進於善良而不覺也。孟子曰：「民日遷善，而不知爲之者」(註四)。無他，禮樂政刑，中有命字之功修在也。二千餘年，有國有家者，不知禮樂爲何事，如是一切設施，皆戾於民性以行事，國胡可久長而不亂耶？此記，多從此等處發明。

「天命之謂性」，朱子注曰：「天以陰陽五行，化生萬物，氣以成形，而理亦賦焉」。此周子太極圖說，於命字之義，極有探討，惜未能淺詞詳其說，學者猶無由取用而實有諸身，不知命爲物何景象也。論語曰：「五十而知天命」(註五)。又曰：「不知命，無

(註三) 見周子通書誠下第二。
(註四) 見四書集註孟子盡心章句上第十二章。
(註五) 見四書集註論語爲政第四章。

以爲君子」(註六)。是知前古聖人，法天立極，修己治人之大法，皆此命字爲之也。故不可以通常命運，氣數短長之命解此命字也。易曰：「天地絪縕，萬物化醇」(註七)。絪縕，則爲化醇。絪縕者，是天地之氣所交合，即天之所以爲命也。左傳曰：「民受天地之中以生，所謂命也」(註八)。天地之中，即天之所以爲命。天地不中，則是天地不交，乾之元不能亨，而人亦於性不能有所受。此中字之在人。即本書喜怒哀樂未發之中，特中庸之中，以人言之，然人之中，即天之中也。

周子曰：「無極之眞，二五之精，妙合而凝」(註九)。其合也，其眞也，其精也，其凝也，即天之所以爲命也。老子曰：「道之爲物，爲恍惟惚。惚兮恍兮，其中有象。恍兮惚兮，其中有物。窈兮冥兮，其中有精，其精甚眞」(註十)。老子言道之爲物，即狀天之所以爲命也。命字之功夫，當深求其意之所在。此處若遺命以言性，則性之來路不眞，而知性者必少。惟合命以言性，則命字之功夫既做到，而性中之眞境自高，而性理之作用益大。

「修道之謂教」。朱子注以禮樂政刑，因吾所固有者而裁成之。固有何？即人之性也。後人以刑非善人之道，不可與禮樂並稱，不知「周禮秋官司刑」(註十一)，法天收藏之義。

(註六) 見四書集註論語堯曰第二十末章。
(註七) 見周易繫辭下。
(註八) 見春秋經傳集解成公下第十三傳十三年春。
(註九) 見周子太極圖說。
(註十) 見老子本義第十八章。
(註十一) 見周禮卷三十四秋官司寇刑官之職。

康成注曰：「刑，正人之法」，納人於善道也。程子解蒙卦利用刑人，曰：「使之由之，漸至於化也」(註十二)。或問發蒙之初，即用刑，無乃不教而誅？程子曰：「立法制刑，乃所以為教。蓋後世論刑者，不復知教化之在其中」(註十三)，故其立刑不能以弼教為主也。

按聖人之禮樂政刑，其所以能化人者，亦處處寓有天之所以為命者在，故能養人民以入於善，而「民日遷善，而不知為之者」(註十四)。濂溪周子曰：「大順大化，不見其跡」(註十五)。孔子曰：「無為而治者，其舜也與」(註十六)！此義不彰，政治所由日替。

「道也者，不可須臾離也，可離非道也」。功到「由仁義行，非行仁義」(註十七)，則日用云為無處不與道合。詩曰：「威儀逮逮，不可選也」(註十八)。不可選者，人離道之惡根去之盡也，盡，乃能如是。

慎獨之功夫，其為慎未到喜怒哀樂未發之中，則慎字之功夫猶未造其極。其人必猶如大學所謂之其所親愛賤惡而辟，好惡未得其正，無由以行其達道也。

「莫現乎隱，莫顯乎微」。隱何為必見？微何為必顯？濂溪周子曰：「有生於無」(註十

(註十二) 見易程傳蒙卦初六爻辭注。
(註十三) 見易程傳蒙卦初六爻象曰注。
(註十四) 孟子盡心章句上第十二章。
(註十五) 見周子通書順化第十一。
(註十六) 論語衛靈公第四章。
(註十七) 見孟子離婁章句下第十九章。
(註十八) 見毛詩國風邶柏舟詁訓傳第三卷二第一頁。
(註十九) 見周子太極圖說首句之義。

九）。老子曰：「其未兆易謀，其脆易泮，其微易散」（註二十）。自古國家爲治爲亂，其發生無不在此等處也。聖人使人恢復固有之良，而人即能無不善者，亦即從此等處著手也。詩曰：「天之牖民，如壎如篪，如璋如圭，如取如攜，攜無曰益，牖民孔易，民之多辟，無自立辟」（註二十一）。後世教條號令雖日加多，終無由以弭人民之亂而亂日多者，自立辟也。

老子曰：「法令滋彰，盜賊多有。故聖人云：我無爲而民自化，我好靜而民自正，我無事而民自富，我無欲而民自樸」（註二十二）。又曰：「以智治國，國之賊。不以智治國，國之福」（註二十三）。王弼曰：「以智術動民，邪心既動，復以巧術防民之僞，民知其術防，隨而避之，思維密巧，奸僞日滋」（註二十四）。修道之教，古之人全從此等處以立根本。

仲尼曰：「君子中庸，小人反中庸。君子之中庸也，君子而時中。小人之中庸也，小人而無忌憚也」。

右第二章

宋　朱熹曰：王肅本作小人之反中庸也，程子亦以爲然，今從之。君子之所以爲中庸

（註二十）見老子本義第五十五章。
（註二十一）見毛詩大雅民生之什板章。
（註二十二）見老子本義第五十章。
（註二十三）見老子本義第五十六章。
（註二十四）見老子本義第五十章註。

者，以其有君子之德，而又能隨時以處中也。小人之所以反中庸者，以其有小人之心，而又無所忌憚也。蓋中無定體，隨時而在，是乃平常之理也。君子知其在我，故能戒慎不睹，恐懼不聞，而無時不中。小人不知有此，則肆欲妄行，而無所忌憚矣。

此下十章，皆論中庸以釋首章之義，文雖不屬，而意實相承也。變和言庸者，游氏曰：以性情言之，則曰中和，以德行言之，則曰中庸，是也。然中庸之中，實兼中和之義。

清　劉沅曰，君子之中庸也，其平日盡性踐倫，已有君子之德，而臨事又能戒懼，隨時處中，故中庸獨歸君子。小人之中庸也，彼非能外五倫五性而生，特其平日無養性明倫之學，素有小人之心，而臨事又復自是，無所忌憚，故雖有似中庸，而實反中庸。或疑小人句少一反字，不知夫子正妙於言小人也。

朱子從王肅程子本加反字，而疑諸說之非，蓋未即上下文立言之意，細參之小人之中庸，若鄉愿胡廣之流，尙不在內，世有日言詩書道德，而內無敬靜之原，外無精義之學，自謂忠而非忠，自謂孝而非孝，方鄙夫仁義道德之士，舉世樂其便己，而不以爲非中庸之道，遂至日以淆亂。夫子子思已早慮之，故於反中庸之小人，而曰小人之中庸也。若曰，彼亦自以爲中庸也，而適成爲小人之無忌憚而已。

愚謂：

「君子而時中」，時中之中，君子出於喜怒哀樂之未發之中也。時中，以其用而無時勿中也，發而皆中節也。小人無忌憚者，情不自性出，性不能爲情主，其原因皆由國失修道之教。大學所謂明德者，不能明之於天下也。聖人有教無類，人人同有未發之中，而肆欲妄行之根去，無忌憚之事，自無由來也。

凡人於未發之中能有諸身，則「動容周旋中禮」(註二十五)，暢於四肢，發於事業(註二十六)，取之則左右逢其原，孟子逢原之論(註二十七)，即逢此未發之中也。

子曰：「中庸其至矣乎，民鮮能久矣」。

右第三章

宋　朱熹曰：過則失中，不及則未至，故惟中庸之德爲至。然亦人所同得，初無難事，但世教衰，民不興行，故鮮能之，今已久矣。論語無能字。

宋　張九成曰：戒慎恐懼，以養其中，人倫之序，以宣其和。惟聖人能終始之，至於尋常之人，一息之暫，且不能安，而況久乎。夫天地之位於此，萬物之育於此，中庸之爲至德，可不言而喻也。

元　許謙曰：論語言中庸之爲德也，其至矣乎，民鮮久矣。此章上無德字，下有能字，此能字，即所謂德也，但論語言中庸之德，此言中庸之道。

清　楊名時曰：唐虞及三代之隆，中庸之道，明於天下，自世教衰，而民乃鮮能之，夫子所以任其責而振興之也。

清　劉沅曰：承上而歎中庸之鮮能，以起下文。其曰民者，責在上也。蓋聖賢以道誘民，而又歎化導之無原也，其仁至矣。

(註二十五) 語出四書集註孟子盡心章句下第三十四章。

(註二十六) 語出周易坤卦文言。

(註二十七) 見孟子離婁章句下第十四章。

愚謂：

朱子解民鮮能久矣句，於久字寄意良深，謂中庸人所同得，民鮮能者，民不中庸耶？民猶是也，修道之教，不本於未發之中，則民之情，與性離也。性離，則所發不能中節而爲亂之階也。其平居概大學治平之效，久不見於後世，謂係小學不修，則大學無安放處，乃集小學一書，以能靜能安之功夫，立基於灑掃應對入孝出悌之內，意至精深。夫古人立教之法，原悉本人生所固有，天之所以爲命者而裁成之。易曰「蒙以養正，聖功也」(註二十八)。聖功在養正，養正在蒙。養何？正何？學者當深思而自得之，而後聖人之事業，人人可與之平等。

子曰：「道之不行也，我知之矣。知者過之，愚者不及也。道之不明也，我知之矣。賢者過之，不肖者不及也。人莫不飲食也，鮮能知味也」。

右第四章

宋　朱熹曰：道者，天理之當然，中而已矣。知愚賢不肖之過不及，則生稟之異，而失其中也。知者知之過，既以道爲不足行。愚者不及知，又不知所以行。此道之所以常不行也。賢者行之過，既以道爲不足知。不肖者不及行，又不求所以知。此道之所以常不明也。

宋　張九成：戒慎不睹，恐懼不聞，以養其中，則發而中節，必爲人倫之序，以宣其

(註二十八) 見周易蒙卦彖辭。

和，此中庸之本也。然知者知之太過，而愚者又不及知焉。既已知之太過，與夫不及知，其能行乎。此道之所以不行也。賢者行之太過，而不肖者又不及行焉。既行之太過，與夫不及行，此道之所以足不明也。夫戒慎不睹，恐懼不聞，此養中之法也。太過於此，則失養中之法。不及乎此，安知養中之法。君子欲求中庸，要當於戒慎不睹，恐懼不聞中得味，則識中之本矣。若夫不能守此法，而用意過當，與夫一出一入而欲求中，是猶終日飲食而不知味也，味乎味乎，當優游涵泳於不睹不聞時可也。

元　許謙曰：道不行者，知之過與不及。道不明者，行之過與不及，是固然矣。然下乃結之曰：人莫不飲食也，鮮能知味也。是又總於知，蓋二者皆欠真知爾。若真知理義之極至，則賢者固無過，智者亦必篤於行，不徒知之而已矣。

明　釋德清曰：此釋上文鮮能之意。謂道即於民生日用見聞知覺食息起居之間，至近而易知易行，因何此道之不行耶？孔子歎之曰：道之不行也，我知之矣。是知者知之過，以離日用尋常見聞知覺之外，將謂別有奇特處，故索隱而深求。而愚者盲然無識，日用而不知，此其所以道之不得昭明於天下也。

然既性道之不昭明，故雖有賢者志欲行之，惜乎不得時中之道，而行或過之。此所以夷齊下惠許由務光之儔，雖願中庸而行，不得聖人之時。桀紂幽厲盜跖之徒，反性率情，肆欲狂爲，無所忌憚。故雖具中庸，而行不及性之善，此所以道之不明也。夫知愚賢不肖，人雖不同，而中庸之性一也。而於日用平常之間，未能深體而精察之，如人誰不飲食，但知味者鮮。

清　劉沅曰：此章由鮮能之故，過不及者，日在道中，而不知其道。猶日在飲食中，而不知其味。然知味非難，則知道亦易，特無如過不及之不自化耳，慨之，正所以勉之。

愚謂：

道不行，由一過一不及，此皆氣質之偏，教不修道，民有性而不知率也。賢者過之，自以所行能率性也。愚不肖不及，自以性難率，不必率也。凡此皆世還人亡，經殘教弛，民各昧於喜怒哀樂未發之中，遂發而不中節之故也。此章言氣質之宜變化。

子曰：「道之不行矣夫」。

右第五章

清　劉沅曰：以上三章，語意一串，此章收足上文語氣耳。下文言舜之知，顏子之能守，君子之自強，皆無過不及之弊，道如是而後行。此章行字，與上章行字微別。上言人不行道，此言道不行於當時。蓋承上兩等人總歎之，子思節取聖言，以己意貫串之，嶺斷雲連，文法亦入妙矣。

愚謂：

朱熹曰：「此章承上章而舉其不行之端，以起下章之意」。按道不行，非人不能行，「民之秉彝，好是懿德」(註二十九)即下所舉之知仁勇，為入德之門，亦天所與，無聖凡之

(註二十九) 見毛詩大雅烝民章。

分也。然不行者，傳曰：「天生民而立之君，使司牧之，毋使失性」(註三十)。緣牧民之人，不知民有性，其政教之設施或反誘民以失性，而民亦不覺耳，世運因此而有隆污，人類因此而少善多惡，修道之教，衰時固宜興復，盛時尤不可或疏也。

不行之道，即率性之道。聖人之有望於民者深也。

子曰：「舜其大知也與，舜好問而好察邇言，隱惡而揚善，執其兩端，用其中於民，其斯以為舜乎」。

右第六章

宋　程伊川曰：此章言舜所以用中，舜之知所以爲大者，樂取諸人以爲善而已。好問而好察邇言，隱惡而揚善，皆樂取諸人者也。兩端，過與不及也。執其兩端，乃所以用其時中。猶持權衡而稱物輕重，皆得其平。故舜之所以爲舜，樂取諸人用諸民，皆以能執兩端，而不失中也。

宋　朱熹曰：舜之所以爲大知者，以其不自用而取諸人也。邇言者，淺近之言。猶必察焉，其無遺善可知。然於其言之未善者，則隱而不宣，其善者則播而不匿，其廣大光明又如此，則人孰不樂告以善哉！兩端，謂衆論不同之極致。蓋凡物皆有兩端，如小大厚薄之類，於善之中，又執其兩端而量度以取中，然後用之。則其擇之審，而行之至矣。然非在我之權度精切不差，何以與此。此知之所以無過不及，而道之所以行

(註三十)　見古註春秋經傳集解襄公二第十五。

也。

明　釋德清曰：唯君親夫婦爲大倫，此乃率性德之行，仁義禮之所在也。其所處之勢，蓋亦固有進退可否是非之難處者。如堯之所以妻舜，而舜之所以當告於親者是也。然堯，君也。以女妻舜，乃率性仁也。親賢以女，乃率性義也。舜必當告而娶，亦率性當然之禮也。舜若告，而瞽叟必不容，不容，則瞽叟違君而薄子矣。違君，不仁。薄子，不義。是則舜執一禮，而彰瞽叟不仁不義之大過。名雖盡孝，實所以揚親之大惡，此舜之所以不敢言，而亦不可告者也。然瞽後不容，舜若但告，不從，而徑自娶之，則返墮入不孝之罪，此又不如不告也。若從親而不娶，則是自陷於違君之不仁，而亦自負人君親賢之大義，抑又自失臣子敬君之大禮，是則舜若執一禮而告之，則若親若己俱蹈於大過，是君親人子之性分兩失之矣，此所以當告而不告也。

然堯若不以女妻舜，則不足以啓天下後世重舜之心。舜若不娶堯之女，必不得禪堯之位，以行其志，以建中古維皇之大業。是則舜執一禮而失終古之大利，是不智也。此舜之所以當其難處之際，而權宜於進退可否輕重之間而折中之。意謂與其寧失之禮，而不失萬世之常利；寧忍自負不孝之罪，而不忍揚親之大惡，此舜之心所以不告而娶也。

此乃舜於難行處，執其兩端而行之，務要合中，而不失其性情之正。惟此不但自處其中，實所以用其中於民也。故曰，執其兩端，用其中於民，非大知何足以與此。

清　楊名時曰：兩端俱是善的，執之，所以擇其中也。學者求理，須先辨善不善，然後於善之中，分過與不及，而中道得之矣。

清　劉沅曰：好問，則至虛。好察邇言，則無遺善。隱其惡而揚其善，則凡來告者，自幸無失。在舜本行所無事，而在人則樂而就之矣。執兩用中，朱子曰：非在我之權度精切不差，何以與此，極是。此二句，是能行實際，然非知之至不能，故爲行知並言，非專言知。其斯以爲舜乎，歎想不盡，子思則以激勵人也。人心莫不有知過不及之弊，半是天資，半是學力。中庸第一大段，祇反復明行中庸之難，由知仁勇難，全此章未及推到大知之故，祇以舜作箇榜樣，學者欲實踐躬行，則不可不知其原好問好察，孟子所謂若決江河，好善之本量如斯。

愚謂：

舜大知，雖是生而知之，然其用中於民，是由知民之有中，與我之中，初無高下之別，故能用之於民而民受之，使民若固有之也。然民與舜同有此中，而不知以爲用者，未能於喜怒哀樂用戒慎恐懼之功夫，中雖在，如無中也。舜之用中以何爲用？曰：舜用之於敷五教，五教之敷，無處不是人民之中，民能復於中，民乃與舜平等，終舜之世，天下之所以太平。

言人之知，性所出也。天既賦性於人，人共有性，即共有知也。然未能率性而行者，上教民，法有未準於人人之知也。舜大知，用中於民，舜用自己之知，故能推己所有以用之於民。孟子曰：「舜自耕稼陶魚，以至於帝，無非取諸人以爲善」(註三十二)。何取？取人共有之知也。好問，問以人共有之知也。察邇言，亦察之以知也。隱惡，隱人之

(註三十二) 見孟子公孫丑上第六章。

不知，揚人之知也。舜「一年成邑，三年成都」(註三十二)，凡民之歸往於舜，亦以己之知歸往，以知歸知也。及其既往，民終不去，民與舜平等矣。民之知也，民之性也。舜之知也，民之知也。

子曰：「人皆曰予知，驅而納諸罟擭陷阱之中，而莫之知辟也。人皆曰予知，擇乎中庸，而不能期月守也」。

右第七章

宋　朱熹曰：罟、網也。擭，機檻也。陷阱，坑坎也。皆所以揜取禽獸者也。擇乎中庸，辨別眾理，以求所謂中庸，即上章好問用中之事也。期月，匝一月也。言知禍而不知避，以況能擇而不能守，皆不得爲知也。

承上章大知而言，又舉不明之端，以起下章也。

宋　張九成曰：使移詮品是非之心於戒慎恐懼，其知孰大焉。使移機巧術數之心於喜怒哀樂未發已發之間，其知又孰大焉。此篇直指學者用知處，故舉舜所以爲大知之事在前，而又立此說於後，其左右表裏發明中庸之學也切矣，學者當審之。

元　許謙曰：承上章之知，以不能守中庸，起下章之能守。

愚謂：

納諸罟擭陷阱而莫之辟，非人納之，被其納者，因其人內有物而爲外物所引，亦同類

(註三十二) 見台灣藝文印書館出版之清乾隆四年校刊本史記卷一本紀第二、十二頁。

相親之故也。日驅，亦自驅之也。既知聖人有中庸之道，能擇而不能守者，不深下戒懼之功夫，或不知從何處下手，如「揠苗助長」(註二十三)，非徒無益，而又害之。故作聖之功夫，以能守爲貴。下章故言回之能守也。

子曰：「回之為人也，擇乎中庸，得一善，則拳拳服膺，而弗失之矣」。

右第八章

宋　朱熹曰：回，孔子弟子顏淵名。拳拳，奉持之貌。服，猶著也。膺，胸也。奉持而著之心胸之間，言能守也。顏子蓋真知之，故能擇能守如此。此行之所以無過不及，而道之所以明也。

元　許謙曰：人之於道，不過知行兩事耳。知者、智也。行者、仁也。四章既言道之不行不明，所謂愚不肖者，固易見，不足論。惟智者知之過，而不務行。賢者行之過，而不求知。所以至於中庸者鮮。賢者之過，如柳下惠之和，伯夷之清，未及孔子之時。智者之過，如曾皙之言高，而行不掩者近之矣。故六章言舜之智，而謂隱惡揚善，執兩端而用中，是行之意重，此舜不專於知，而道所以行矣。八章言顏子之仁，而曰擇乎中庸，是知之意重。此顏子不專於行，而道之所由明矣。

愚謂：

回能擇中庸，守中庸，弗失中庸，回之仁也。回之仁，亦人人共有之仁也。然回能異

(註二十三) 語意出孟子公孫丑不動心章。

乎人者，一在能擇，能擇，則人莫不飲食，而彼能知味也。一在能守，能守，則內有諸己，而外自難奪也。回師侍夫子，歎「夫子循循然善誘人，博我以文，約我以禮」（註三十四）故回之能擇者，亦因夫子之善誘有得於心而後知所擇耳。回之能勿失者，亦因夫子修道之教，處處有回之不能失者在也。得一善者，人之情有七，一既得，一之根生，他亦可從而得也。得之善，由於守之善。得難，守更難，守何？即守此未發之中。天命之性，人皆可由此而得也。

子曰：「天下國家可均也，爵祿可辭也，白刃可蹈也，中庸不可能也」。

右第九章

宋　朱熹曰：均，平治也。三者亦知仁勇之事，天下之至難也。然皆倚於一偏，故資之近，而力能勉者，皆足以能之。至於中庸，雖若易能，然非義精仁熟，而無一毫人欲之私者，不能及也。三者難而易，中庸易而難，此民之所以鮮能也。

承上章，以起下章。

宋　張九成曰：均天下國家，辭爵祿，蹈白刃，壯哉其勇也，此血氣也。用以求中庸難矣。中庸不在血氣中。惟戒慎不睹，恐懼不聞者能得之。故曰，可均可辭可蹈，而不用此以能中庸也，有此則是血氣，非中庸也。惟血氣消盡，中庸見矣。君子不可不察也。

（註三十四）見論語子罕第十章。

此又是一解與愚謂異

平釋均係朱註

駁朱註

清　劉沅曰：天下國家之富，人所戀也。然苟不審乎義，遜讓爲高，則亦可均分以與人。爵祿之榮，人所豔羨也。然苟不問公私，但以恬退爲高，則亦可辭。白刃人所畏避也。然苟不察是非，第以犯難爲勇，則亦可蹈。若夫中庸之德，無新奇矯異，惟凡事當於天理，必知行並進，終身不離，非若三者之可矯於一時，誠不可能也。欲能中庸者，可欲速而無恒耶？

前人以平治釋均字，然刑名法術治天下，不得以爲平治也。平治天下國家，必如大學所言方可，聖人之言必不輕言平治之易。故均字淺看，止作均分與人解。此句言不吝，次句言不貪，意自各別也。又謂三者亦知仁勇之事亦誤。三者皆私意一偏之事，如何以知仁勇名之？三者合中庸，則爲知仁勇。徇私意，則不得爲知仁勇。出此入彼，界限毫不可混，聖人立言精當，不似常人一偏也。

愚謂：

可均、可辭、可蹈，皆處理事物之已形於外者。曰可，力所能到之辭。然於事之結果，亦未必能一一中節。不可能者，愼獨之時，私欲偶動，則有害於未發之中也。我著一念之能，即我心動，我意不誠，我獨不能愼也。此章於愼獨之愼字，深作戒辭，功夫必如此，而後能到未發之中也。

子路問強。子曰：「南方之強與？北方之強與？抑而強與？寬柔以教，不報無道，南方之強也，君子居之。衽金革，死而不厭，北方之強也，而強者居之。故君子和而不流，強哉矯。中立而不倚，強哉矯。國有道，不變

塞焉。強哉矯。國無道，至死不變，強哉矯」。

右第十章

宋 朱熹曰：子路，孔子弟子仲由也。子路好勇，故問強。抑，語辭。而，汝也。寬柔以教，謂含容巽順，以誨人之不及也。不報無道，謂橫逆之來，直受之而不報也。南方風氣柔弱，故以含忍之力勝人爲強，君子之道也。衽，席也。金，戈兵之屬。革，甲冑之屬。北方風氣剛勁，故以果敢之力勝人爲強，強者之事也。四強哉矯，汝之所當強也。矯，強貌。詩曰：矯矯虎臣是也。倚，偏著也。塞，未達也。國有道，不變未達之所守。國無道，不變生平之所守也。此則所謂中庸之不可能者，非有以自勝其人欲之私，不能擇而守也。君子之強，孰大於是。夫子以是告子路者，所以抑其血氣之剛，而進之以德義之勇也。

宋 張九成曰：南方之強，北方之強，與夫子路之強，皆血氣也。然而衽金革，死而不厭，謂之血氣之強可也。寬柔以教，不報無道，君子居之，是亦足矣，乃謂之血氣之強何哉？蓋強當從戒慎不睹，恐懼不聞中來，則此強爲中庸之強。若乃山川風氣使之如此，而中無所得焉，豈非血氣云乎！子路天資好勇，其鼓琴也，流入北鄙；其言志也，則曰師旅，此北方之強也，故曰而強者居之。然則何以爲中庸之強也？曰：和而不流，此喜怒哀樂之中節也，故其強矯然不撓。中立而不倚，此喜怒哀樂未發時也，故其強亦矯然不撓。惟戒慎不睹，恐懼不聞，潛養中和，以至如此之強，矯之爲言剛毅之貌，非矯揉之矯也。

宋　程伊川曰：塞，未通也。不變未達之所守，所謂富貴不能淫也。

清　劉沅曰：和，以人倫晉接周旋言。如五倫之內，不盡賢人，豈有不相往來之理，以和處之，與物無忤，此心未嘗鄙夷人也。第非道非義之事，強以相從，則必不可，故藹然可親者，實毅然難犯。

中立，以立身行事言，見理甚精，稍有偏倚，必不肯隨人俯仰，因彼此均有所偏，已獨見得恰好，故曰中立不倚，二字有毫無私徇，屹然不屈之象。大而君父之際，精忠大節，獨立千秋；微而一言一動，光明日月。此中有全副天德在，塞字訓未達，不甚明白。詩曰：「秉心塞淵」，蓋德性充實堅固之意，言平日所學，充實浩然。故得志與窮困，均不能搖奪。塞字正對變字，凡可變之物，必輕薄淺脆。塞，乃樸實渾成，安得有變，以塞字明強字之意，有道無道，即此以概，安危之事，矯矯然獨出。不但曰強，而曰強哉矯，言其迥然不同於流俗，所以為理義之強也。

愚謂：

南方之強，北方之強，其強是地域所生，人生稟此，是謂氣質。未加以修道之教，其強不能矯者也。不流、不倚、不變，方是於愼獨下有功夫，於不睹不聞之中，已深造自得。孟子所謂「居之安，則資之深，資之深，則取之左右逢其原」(註二十五)。無入不自得，不因國之有道無道，而生變易。

此章言人之氣質，宜有以變化之也。惟功到不變塞，中立而不倚，則率性之道，身自

(註二十五) 見孟子離婁章句下第十二章。

有之，須臾而不可離矣。子路尚勇，夫子與子路言，亦言人人共有之勇，人皆可以致之也。

子曰：「素隱行怪，後世有述焉，吾弗為之矣。君子遵道而行，半途而廢，吾弗能已矣。君子依乎中庸，遯世不見知而不悔，惟聖者能之」。

右第十一章

宋　朱熹曰：素，按漢書當作索，蓋字之誤也。索隱行怪，言深求隱僻之理，而過爲詭異之行也。然以其足以欺世而盜名，故後世或有稱述之者。此知之過，而不擇乎善，行之過，而不用其中，不當強而強者也。聖人豈爲之哉！遵道而行，則能擇乎善矣。半途而廢，則力之不足也。此其知雖足以及之，而行有不逮，當強而不強者也。已，止也。聖人於此，非勉焉而不敢廢，蓋至誠無息，自有所不能止也。君子依乎中庸，不能半途而廢，是以遯世不見知而不悔也。此中庸之德，知之盡，仁之至，不賴勇而裕如者，正吾夫子之事，而猶不自居也。故曰唯聖者能之而已。

子思所引夫子之言，以明首章之義者止此。蓋此篇大旨，以知仁勇三達德爲入道之門，故於篇首即以大舜顏淵子路之事明之。舜，知也。顏淵，仁也。子路，勇也。三者廢其一，則無以造道而成德矣。餘見第二十章。

明　釋德清曰：遯世不見知而不悔，孔子意謂，此獨聖者能之，非我所能也。然我自揆其懷，若世不見知，是亦不能無悔也。問曰：願聞孔子之悔。答曰：如曰，鳳鳥不至，河不出圖，吾已矣乎。又曰：如有用我者，期月而已可也，三年有成。又曰：久矣吾不復夢見周公。周公何人？所作何事？然於夢想願見之，此豈遯世不見知而不悔！觀其作春秋意曰，託之空言，不若見諸行事之深切著明者，可知已。然無此悔，則亦不足爲孔子，以有此悔，故曰：用之則行，舍之則藏，是爲聖之時者也。學人不知孔子悔處，定不達中庸之道。

清　劉沅曰：素字，鄭康成作傃字解，班固作索字引，顏師古作索解，按本文宜作平素解。如此篇言素位，易言素履，左傳言不愆於素，皆平素之意，道本中庸，此人平素曖昧不明，行事怪僻，是自逞其聰明，不就禮法之輩，以其新奇悅俗，世或述之。

愚謂：

「素隱行怪，後世有述焉」，此妄用知，猶不知也。「遵道而行，半途而廢」，此不能守，不能行也。「依乎中庸，遯世不見知而不悔」，此知仁勇三者，能兼而有之，功夫之深，不僅知仁勇三德也。「唯聖者能之」，言人人有知仁勇，人人可抵於聖也。此章兼上七、八、九、十各章而言之，言修道之教，在從人人共有之處，淺而易見者入手，亦修字之功夫，不可外人共有之性也。

素隱行怪，固枉費精神，於未發之中，不能有得。然君子能遵道而行，不廢於半途。君子如何而能遵之也？功夫到未發之中，其爲人也，欲不遵道而不可得。夫子贊以唯聖者能之，聖何？性也，未發之中也，中之實在處也。下章切實指點以明之。

君子之道費而隱。夫婦之愚，可以與知焉。及其至也，雖聖人亦有所不知焉。夫婦之不肖，可以能行焉，及其至也，雖聖人亦有所不能焉。天地之

大也，人猶有所憾。故君子語大，天下莫能載焉；語小，天下莫能破焉。詩云：「鳶飛戾天，魚躍于淵」。言其上下察也。君子之道，造端乎夫婦，及其至也，察乎天地。

右第十二章

侯氏曰以下劉沅有不同見解

宋　朱熹曰：費，用之廣也。隱，體之微也。君子之道，近自夫婦居室之間，遠而至於聖人天地之所不能盡，其大無外，其小無內，可謂費矣。然而理之所以然，則隱而莫之見也。蓋可知可能者，道中之一事，及其至而聖人不知不能，則舉全體而言，聖人固有所不能盡也。侯氏曰：聖人所不知，如孔子問禮問官之類。所不能，如孔子不得位，堯舜病博施之類。愚謂人所憾於天地，如覆載生成之偏，及寒暑災祥之不得其正者。

鳶飛戾天，詩大雅旱麓之篇。鳶，鴟類。戾，至也。察，著也。子思引此詩以明造化流行，上下昭著，莫非此理之用，所謂費也。然非所以然者，則非見聞所及，所謂隱也。故程子曰：此一節，子思喫緊爲人處，活潑潑地，讀者其致思焉。

右第十二章，子思之言，蓋以申明首章，道不可離之意也。其下八章，雜引孔子之言以明之。

元　許謙曰：聖人不能知行，非就一事上說，就萬事上說。如孔子不如農圃，及百工技藝瑣細之事，聖人豈盡知盡能，若君所當務者，則聖必知得徹，行得極。

大小二字，接道而言。天地之大，人猶有憾者，爲工不能全也。君子之語大小莫能載破者，為道無不在也。天地對大小，猶有憾對莫能載破。金先生曰：物有限量，則可載。道無限量，故莫能載。物有罅隙，則可破。道無罅隙，故莫能破。

鳶飛魚躍，大概言上天下地，道無不在。偶借詩兩語以明之，其義不專在于鳶魚也。觀此，則囿於兩間者，飛潛動植，何所往而非道之著。且蒼然在上，塊然在下者，又庸非道之著乎。則人於日用之間，雖欲離道，又不可得者，其可造次顛沛之頃，不用功於此哉。

此章專明道充滿天地萬物之間，使學者體認，欲其灼然如見，皆不言功夫。然既知自吾身之小，以極天地之大，萬物之微，無非是道。則道不可離，當體之而不可少有間斷明矣。

中庸三大章，前章言中庸。此章言費隱。後章言誠。中庸者，道之用於萬物，無所不在，其體固隱，是亦費而隱也。但中庸，是就人事上言道之用。費隱，是就天地人物上言道之用。蓋先言中和，見道之統，攝於人心。次言中庸，見道之著，見於萬物。此言費隱，見道之充塞天地。後言誠，則見聖人與天地為一。中和，以戒懼慎獨為存養省察之功。中庸，則知仁勇為入德之門。費隱，則於諸章雜言，其大者小者，欲人隨處考察，以全中庸之用，皆所以求至於誠也。

清　楊名時曰：道在鳶魚戾天躍淵，見其察於上下，非飛躍為道也。

眾物得氣之偏，雖然亦各具得五性來。故其於倫族間，未嘗不各率其性而為道。雖親義序別信之理，不能全明，然亦各有所明。就其明處，卻極真切。如虎狼之父子，蜂蟻之君臣，鴻雁之夫婦，以及豺獺雎鳩烏鳥之屬是也。至其他亦各有配偶，各有倫類，未嘗不相親相屬，皆由他原分得此理來，此正道之著察處也。此天命之性，率性之道，人物皆同。而聖人修道之教，亦必至於盡物之性而後全也。知得此意，則知天地之間，道無物不有，人身之內，道亦無乎不在。一言一動之細，亦猶天地之鳶魚也。若有一毫不合於道，便與天地不相似。且知得此意，則見得萬物皆吾同體，必擴充其量，至使萬物咸若，而吾性始盡。此中庸之實理，而君子所以進德修業之要也。故下云：君子之道，造端乎夫婦，及其至也，察乎天地。

清　劉沅曰：費，廣博意。隱，精微意。子思即道之全體大用，渾括而言，是於難言者，想像言之。下文語作形容指點之詞。夫婦之愚不肖，即至淺近者而言。聖人天地，即至高明者而言。可以與知與能，以其各有天理之良也。有所不知，耳目聞見之所窮，如書籍之繁，萬物之賾，不必盡知。

若夫天命人心之原，經紀倫物之大者，聖人固早知之。有所不能，百工技藝之末，無關忠孝人紀之事，不必盡能。

若夫盡性盡倫之事，隱顯出處之宜，聖人固無不能之。天地之大人猶有所憾者，天地能生養之，而不能教之，必待人功輔相裁成。若非聖人爲之君師，天地有許多留憾處。人猶有所憾，非憾天地之偏，以道之難盡洽也。

駁朱註

侯氏以問官問禮等語解知能，已誤。以覆載生成之偏，寒暑災祥不正解有憾，亦誤。覆載無偏，生成有偏，其偏也氣化爲之，人事失其正而後然也。人不反求諸己，而咎於天，則以爲天地有偏。不知道在天地，本渾成無少渣滓，特人物自駁雜耳。

舊以體用分貼費隱，亦誤。體固隱，用亦有隱。如聖人精義入神，義在顯處，其精當出人意表，便是隱。此隱字，不作幽深隱闇解，作精微解。緣就道之全體大用渾括處言，指出費字實際無所不在，實精微難測也。

及其至，及其至至字，非極至之至，猶言充類之盡意。鳶在天而魚在淵，各得其所，各安其天，凡天地間流行品物，皆可作是觀。凡自天子至於庶人，各盡其道，各踐其形，亦皆如是觀。

上下察，是欲人實體諸身，心不可遠求，故下緊接造端於夫婦。君子慎獨修身，正己齊家，造端乎夫婦，而果盡其道，陽教陰教，各得其宜，天地陰陽和，而風雨時，品物章，而萬民育，皆是理也。

語氣是從上兩節，總括指明，尤爲親切有味。造端夫婦，義理包孕無窮，易曰：一陰一陽之謂道。道本天地，盡道則誠其身。如何造端，如何及其至，亦曰戒懼慎獨，存養其天命之良，推極乎泛應之當，久之而中和在抱，形神精氣，無弗與天地相通，則人身亦具太極二氣，流行無間，而萬化一元相孚。人也，即天也。中庸一部，皆言此理。

愚謂：

「君子之道，費而隱，夫婦之愚，可以與知與能」。此何也？天命之性，天平等以命於人也。可以與知，可以能行，而謂之愚不肖者，何也？愚不肖，以氣質之秉受言。可與知與能，以賦性言。「及其至，雖聖人亦有所不知者」，此至字以功夫言，至，即功夫做到未發之中。功夫到未發之中，即天之所以爲命者，昔日在天，今日在人也。學要做到未發之中，當其用功時，任何念慮，不可分毫加入，一涉知能，則功夫不至

也。兩言及其至，雖聖人不可知不可能，此子思極爲學人作深切之戒詞，喻學者不可於此等處稍加忽略也。

「天地之大，人猶有所憾」。憾何？功夫到未發之中，無天地之形也。道生天地，包天地，大於天與地，以天地之大，猶嫌其小，小不可限大也。易曰：「形而上者謂之道」（註三十六）。未發之中，即形上之道，形上即天地尚未生。老子曰：「有物混成，先天地生」（註三十七）。「語大、天下莫能載」，道無形，以何爲載？「語小、天下莫能破」，道無物，以何而爲破？

「鳶飛戾天，魚躍於淵」，喻心空而後自然之眞者以現，別開生面，全在心空。「人心惟危，道心惟危」（註三十八），其功用之所在，即聖人亦不知不能也。一有知能，而費與隱，反不能成也。「造端乎夫婦」，端即陰陽之合，又即天之所以爲命也。曰造端，即聖人法天以立極也。

夫人當既得天之所以爲命時，人有陰陽如天地。人亦知陰陽之爲用，故人可造成天地，人所有也。「及其至也，察乎天地」。察，通達也。天地之道，人之道，合而爲一，人可贊天地之化育，人可與天地參也。

此章摩寫道之全體，立命之學也。與知與能，人皆可以爲堯舜也。不知不能，不睹不聞之處，隱也微也。聖人於此等處，一有知有能，功夫即未至而不能聖也。無他，有

（註三十六）見周易古註繫辭上卷七。
（註三十七）見老子本義第二十一章。
（註三十八）見尚書古註卷二大禹謨篇。

父父子子數句家人卦之象辭

知有能，即不能隱，不能微，天命之性失也。人猶有所憾者，道生天地，有天地，則不能有道，道爲形所限也。憾者，道囿於天地之有形，功夫未能超出天地以外之無形也。功夫之至者，并天地之形，都要忘卻。

佛曰：「東方虛空，可思量不，南西北方，四維上下虛空，可思量不」（註三十九）。佛無住相布施，亦復如是不可思量。不思量，無天地之形也。老子曰：「無名天地之始，有名萬物之母」（註四十）。無名，無形也。無形故天下莫能載。人當喜怒哀樂未發時，固一物不有也，有則未發之中爲所破也。中也者，小之至也。非實有此功夫，功夫已到者，殆不能知。

「造端乎夫婦」，端、始也。禮記，內則篇，「禮始於謹夫婦」，即夫婦人倫之始，王化之基之義。易，家人，「女正位乎內，男正位乎外」。正位之義，係有內涵之美德，與外表威儀之盛而言。聖人人倫之至，人見其言行之中節，足爲世法世則，然必先有人所不見不知，愼獨宥密之功夫，爲之根基，即造端之謂也。家人各正其端，所謂「父父、子子、兄兄、弟弟、夫夫、婦婦、而家道正，正家，而天下定矣。」造端，人自造耳。

易曰：「天地絪縕」（註四十一）。周子曰：「妙合而凝」（註四十二）。此即君子之造端也。易又

（註三十九）見金剛經妙行無住分第四。
（註四十）見老子本義首章。
（註四十一）見周易古註繫辭下卷八。
（註四十二）見周子太極圖說。

曰：「繼之者，善也。成之者，性也」(註四十三)。繼善即造端，成性即端之成。「仁者見仁，知者見知」(註四十四)。仁知之根在性，性成而後仁知見。造端，即造此成性之端也。在本書，又即愼獨。朱子曰：「獨者，人所不知，而己獨知之地」(註四十五)。功到「鳶飛戾天，魚躍於淵」，則天命之性復矣。復則隨處皆天理流行也。

子曰：「道不遠人，人之為道而遠人，不可以為道。詩云『伐柯伐柯，其則不遠』。執柯以伐柯，睨而視之，猶以為遠，故君子以人治人，改而止。忠恕違道不遠，施諸己而不願，亦勿施於人。君子之道四，丘未能一焉。所求乎子，以事父未能也；所求乎臣，以事君未能也；所求乎弟，以事兄未能也；所求乎朋友，先施之未能也。庸德之行，庸言之謹，有所不足，不敢不勉，有餘不敢盡，言顧行，行顧言，君子胡不慥慥爾」。

右第十三章

宋　朱熹曰：道者，率性而已，固衆人之所能知能行者也。故常不遠於人。若爲道者，厭其卑近，以爲不足爲，而反務高遠難行之事，則非所以爲道矣。

詩，豳風伐柯之篇。柯，斧柄。則，法也。睨，邪視也。言人執柯伐木以爲柯者，彼

(註四十三) 見周易古註繫辭上卷七。
(註四十四) 語意見周易古註繫辭上卷七。
(註四十五) 見大學首章朱熹句。

柯長短之法在此柯耳，然猶有彼此之別。故伐者視之，猶以爲遠也。若以人治人，則所以爲人之道，各在當人身，初無彼此之別。故君子之治人也，即以其人之道，還治其人之身，其人能解，即止不治。蓋責之以其所能知能行，非欲其遠人以爲道也。張子所謂以衆人望人，則易從也。

盡己之心爲忠。推己及人爲恕。違，去也。如春秋傳，齊師違穀七里之違，言自此至彼，相去不遠，非背而去之之謂也。道，即其不遠人者是也。施諸己而不願，亦勿施於人，忠恕之事也。以己之心，度人之心，未嘗不同，則道之不遠於人者可見。故己之所不欲，則勿施之於人，亦不遠人以爲道。張子所謂以愛己之心愛人，則盡仁是也。

求，猶責也。道不遠人，凡己之所以責人，皆道之所當然也。故反之以自責而自修焉。

庸，平常也。行者踐其實，謹者擇其可，德不足而勉，則行益力。言有餘而訒，則謹亦至。謹之至，則言顧行矣。行之力，則行顧言矣。慥慥，篤實貌。言君子之言行如此，豈不慥慥乎，贊美之也。凡此皆不遠人以爲道之事。張子所謂以責人之心責己，則盡道是也。

元　許謙曰：行與謹字對。德每不足，故當勉於行；言每有餘，故當謹而不敢盡。

清　劉沅曰：庸德之行，行字作平聲讀。對謹字言，一一實踐，非徒言也。下二行字讀仄聲。蓋在慎其言行，不敢以爲能也。慥慥，誠樸意。

愚謂：

「道不遠人」，人各有天命之性也。「人之爲道而遠人」，爲政不知修道之教也。遠人者，教不準於性，則人乃不知率性而行也。

「以人治人，改而止」。以人之性，還治其人，治之於修道之教也。為治之道，全在法天之所以為命，使人民易知易從。不責人民以率性，而人民自率性於不知不覺也，夫是之謂化民。

「忠恕違道不遠」。不遠者，道所在，在未發之中，未發之中，不事外求，而人人可自得而自有之物也。必忠恕而後能不遠者，忠恕為上達之階梯，先之以忠恕，然後可入於未發之中，猶入室先自升堂始也。

「君子之道四」者，五倫來自五常，五常來自自性，性之作用，來自喜怒哀樂未發之中。人之五倫無不善者，即率性之謂道。道出於性，性固無弗善也。堯舜太平之世，舜徽五典，教以人倫。孟子曰：「人人親其親，長其長，而天下平」(註四十六)。修道之謂教，修此而已。「丘未能一焉」者，孔子未得位以行其道，以人治人，使人各得其五倫之道也。言此以寄望於後來為政者，意至深切也。夫道若大路然，亦人人固有之性而已。修道以行此道者，法天之所以為命而已。「君子胡不慥慥」者，君子循此性保此命而已。道雖至高，而庸言庸行，固不可一刻離也。後世有家有國而禍亡者，皆不知盡力於人倫，俾人以率性之故也。

此章懼人惑於上章所說，以道至費至隱，或於身外求之，而道愈以不明不行。故實指之曰：不遠人。以人治人一語，尤為千古以上聖人，千古以後聖人，其為政治教育都不能越此而別有所建設也。事父事君，五品之道，皆自未發之中產生，不待教不待學，而無勿能無勿知者也。聖人固已能，猶曰未能者，懼人不慥慥於戒懼之時，以求未發

(註四十六) 見孟子離婁章句上第十章。

之中，而索隱行怪也。在聖人雖能，亦不自知，其能出於自然之流露，不以此爲能也。聖人立言，必舉五倫爲例者，詩曰：「民之多辟，毋自立辟」(註四十七)。老子曰：「大治不割」(註四十八)。修道之教，悉要從人倫入手，戾此皆殘賊天命之性，而禍亂之所由作也。

右第十四章

君子素其位而行，不願乎其外。素富貴，行乎富貴。素貧賤，行乎貧賤。素夷狄，行乎夷狄。素患難，行乎患難。君子無入而不自得焉。在上位，不陵下。在下位，不援上。正己而不求於人，則無怨。上不怨天，下不尤人。故君子居易以俟命，小人行險以徼幸。子曰：「射有似乎君子，失諸正鵠，反求諸其身」。

宋　朱熹曰：素，猶見在也。言君子但因見在所居之位，而爲其所當爲，無慕乎其外之心也。解首二句

此言素其位而行也。解素富貴，至無入而不自得焉九句

此言不願乎其外也。解在上位，至下不尤人八句

易，去聲。易，平地也。居易，素位而行也。俟命，不願乎外也。徼，求也。幸，謂

(註四十七) 見毛詩大雅民生之什板章。

(註四十八) 見老子本義第二十四章。

所不當得而得者。解故君子居易以俟命兩句

正，音征，畫布曰正，棲皮曰鵠，皆侯之中，射之的也。子思引此孔子之言，以結上文之意。解末四句

此章子思之言也，凡章首無子曰字者倣此。

元　許謙；輯略，呂氏曰：達則兼善天下，得志則澤加於民，素富貴行乎富貴者也。窮則獨善其身，不得志，則修身見於世，素貧賤行乎貧賤者也。言忠信，行篤敬，雖蠻貊之邦行矣，素夷狄行乎夷狄者也。文王內文明而外柔順，以蒙大難，箕子內難而能正其志，素患難行乎患難者也。愛人不親反其仁，治人不治反其智，此在上位所以不陵下也。彼以其富，我以吾仁，彼以其爵，我以吾義，吾何慊乎哉！此在下位，所以不援上也。游氏曰：上不陵下，下不陵上，惟正己而不求於人者能之，故能上不怨天，下不尤人，君子循理，故居易以俟命，居易未必不得也，故窮通皆好。小人反是，故行險以徼幸，行險未必常得也，故窮通皆醜。學者當篤信而已，失諸正鵠，亦行有不得之說也，此二家說此章極明。

明　釋德清曰：此節申上文道不遠人之意，而誡學者不可矯強外求也。以其道在心，而備在我，就當在我平素所處之地位，率性而行，不可妄有一念外慕別求之心，纔有別求之心，便不是中庸道理矣。且如我處富貴之地，即此富貴上就好做工夫，澹然無欲，不以一毫動其心，即孔子視之如浮雲，此則不以欲傷性，便是處富貴不失中和的道理。而云行乎富貴者，謂我之中和性德，就全體行于富貴之中，不是任富貴而行也，此所謂堯舜有天下而不與，又何外慕之有。

若處貧賤亦如此，不以貧賤累其心，所謂貧而樂，即顏子簞瓢陋巷不改其樂，然所處正是性德中和之樂。

至於涉身於夷狄，就以我之性德行於夷狄之中，使彼夷狄，浸浸然不覺而自化。以彼夷狄，形俗雖異，而性德均也。忘形觀性，適然自得。又何捨此而別求耶？

即處患難亦然，且患難有形之招也，若忘形適志，任道怡神，雖苦其形，而心地泰然自樂，了無憂患之相，殊非捨此患難之外，而別有樂地，亦非離此患難之後，而別有可求也。

孔子阨於陳蔡，圍於匡人，絃歌自樂，便是聖人處患難行乎患難的氣象。

如此，則無入而不自得矣。不以名位爲尊榮，自然不傲慢陵虐在下之人矣。貧賤以適志爲樂，自然不援覬覦在上之人矣。此所謂正己而不外求於人也，故無怨。

孔子曰：貧而無怨難。此怨字，爲處貧賤者而言，是故君子雖處貧賤，但居其平易坦蕩，以俟乎天命。小人不能居易安命，行險妄作，而起儌倖之心矣。「反求諸其身」，謂不願乎其外也。

愚謂：

「素其位而行，不願乎其外」。何謂素位？道不可須臾離，可離非道也。位在何處，即道在何處。願外，則身與道離，離道即非君子，發而不能皆中節也。如乾、六爻以龍爲喻，一也。周公分別其辭以言者，原所處之時不一，一則不能素其位而行也。富貴貧賤患難，原不與生我之性以同來，心苟願乎外，則性不能率也。

孟子曰：「中天下而立，定四海之民，君子樂之，所性不存焉」(註四十九)。素者，不以所樂在富貴而行有所改也。「舜之飯糗茹草也，若將終身焉」(註五十)。素者亦不以貧賤爲憂而有礙於我之素也。舜亦率性之聖人而已。舜亦本此未發之中，以爲人而已。人人可同有此未發之中，而不能素其位以行之者，乃慎獨之功夫，有缺欠也。「射有似乎君子，失諸正鵠，反求諸其身」。失諸正鵠，不素位，不率性也。反求諸身，求之於未發之中也。

「無入而不自得」，君子之功夫，來自何處？不陵不援，不求不怨，人若此於萬物亦可並育而不相害，太平天下之景象，已具足於吾人一身之中。徼幸者，內無功夫，故求之於外，而怨尤無以自解。

君子之道，辟如遠行，必自邇；辟如登高，必自卑。詩曰：「妻子好合，如鼓瑟琴，兄弟既翕，和樂且耽，宜爾室家，樂而妻帑」。子曰：「父母其順矣乎」。

右第十五章

宋　朱熹曰：辟，譬同。好，去聲。耽，詩作湛，亦音耽。樂，音洛。詩云六句，小雅常棣之篇。鼓瑟琴，和也。翕，亦合也。帑，子孫也。

夫子誦此詩而贊之曰，人能和於妻子，宜於兄弟如此，則父母其安樂之矣。子思引詩

(註四十九) 見孟子盡心章句上第二十一章。

(註五十) 見孟子盡心章句下第六章。

及此語，以明行遠自邇，登高自卑之意。

清　劉沅曰：兄弟與我，同此父母。妻子與我，同事父母。我不能仁讓篤至，恩誼諧和，即左右就養，備極殷勤，父母亦必不樂。詩云：「妻子好合，如鼓瑟琴」，則正內正外，宜家之道盡矣。「兄弟既翕，和樂且耽」，則相敬相愛，形神之孚久矣。故夫子讀此詩而言曰，一家之中，果如此所云，斯時之父母其順矣乎。蓋深歎其美，而以爲兄弟妻子，最不易如斯也。

愚謂：

「行遠自邇，登高自卑」，邇與卑，猶人之獨也。遠與高，未發之中也。自邇自卑，求未發之中，自愼獨始也。父母順者，愼獨之功夫，做到未發之中，邇可遠卑可高也。聖人修道之教，製禮作樂，皆起自人生日用衣服飲食之常，亦邇可遠卑可高也。易曰：「乾以易知，坤以簡能。易則易知，簡則易從。易知則有親，易從則有功」（註五十一）。簡易之功夫，即自邇自卑也。

不知自邇自卑者，不知道出於本身，皆賢知之過，未能得未發之中，徼幸之心未絕也。「妻子好合，如鼓瑟琴」，邇也，卑也。夫婦之愚，與知與能也。然孔子美之曰：父母其順矣者，謂能率性而行也。其爲順，亦不僅父母而已，無物不可動也。刑于寡妻，至于兄弟，以御于家邦。孟子曰：「言舉斯心加諸彼而已，故推恩足以保四海」（註五十二）。

（註五十一）見周易古註繫辭上第七。
（註五十二）語出孟子梁惠王章句上第七章。

「舜盡事親之道，而瞽叟底豫，瞽叟底豫而天下化，瞽叟底豫而天下之爲父子者定」（註五十三）。能化天下，能定天下之父子，則高矣遠矣。聖人修道之教，即修此，修人人以率性而已。

子曰：「鬼神之為德，其盛矣乎！視之而弗見，聽之而弗聞，體物而不可遺。使天下之人，齊明盛服，以承祭祀，洋洋乎，如在其上，如在其左右。詩曰：『神之格思，不可度思，矧可射思』。夫微之顯，誠之不可揜如此夫」。

右第十六章

宋 朱熹曰：程子曰：鬼神，天地之功用，而造化之迹也。張子曰：鬼神者，二氣之良能也。愚謂以二氣言，則鬼者，陰之靈也。神者，陽之靈也。以一氣言，則至而伸者爲神，反而歸者爲鬼，其實一物而已。爲德，猶言性情功效。鬼神無形與聲，然物之終始，莫非陰陽合散之所爲，是其爲物之體，而物所不能遠也。其言體物、猶易之所謂幹事。

齊之爲言齊也。所以齊不齊以致齊者也。明，猶潔也。洋洋，流動充滿之意。能使人畏敬奉承，而發見昭著如此，乃其體物而不可遺之驗也。孔子曰：其氣發揚於上爲昭明，君蒿悽愴，此百物之精也，神之著也。正謂此爾。齊，側皆反。

易乾卦文言曰貞固足以幹事為事之質幹也

孔子曰四句語出禮記祭義篇

（註五十三）語出孟子離婁章句上末章。

度，待洛反。射，音亦，詩作斁。詩，大雅抑之篇。格，來也。矧，況也。射，厭也。言厭怠而不敬也。思，語辭。

夫，音扶。誠者，真實無妄之謂。陰陽合散，無非實者，故其發見之不可揜如此。此章不見不聞，隱也。體物如在，則亦費矣。此前三章，以其費之小者而言。此後三章，以其費之大者而言。此一章，兼費隱，包小大而言。

清　楊名時曰：或問以前說子臣弟友妻子父母，甚是平常，忽然說到鬼神，似乎隱怪，不知如何接逗。曰：宗廟郊社，即人倫之極致處，不說到此，如何得完人倫分量。

清　劉沅曰：誠之一字，小而言之，不過不欺不惑而已。充其義，則必天理渾然，毫髮無私。如下文盡性所云，方是誠字分量。此書全部以誠字爲骨。子思先從源頭說起，反復言能中庸者，必歸聖人。次點明中庸之道，至費至隱，死人阻於嚮方，即引子言不遠人以爲道，教人以慥慥行忠恕，事事反求，即可無入不得，道固極平易矣。然平易之中，即有神奇，至神至奇，郤至平易，所以名爲中庸。

下接言卑邇即高遠之階，而即家庭和豫以見其概。聖人事親如事天，亦事天如事親。天地、一父母也。父母順，而天地有不可合者哉！此中便有誠字在，誠者，真實之名。鬼神至實而實至虛，超乎形色之表，寓乎形色之中。不可以迹覩，不可以智求。誠之流行，布濩於六合間者，即顯然可窺。故特以此明誠之義，而天地人一氣貫通之理，俱該括焉。

世俗不知人身本可以參天地，人道盡而天道即通。於是賢智，淺視倫常，入於誕妄；愚不肖，高視天命，流於卑汙。若鬼神之說，尤高明所屛斥，庸俗所爭趨，其原皆由未識天人之故耳。誠能即中庸一書，身體而力行，則必知天地本與吾身相通，而忠孝所以乾坤並壽。

不似啓後世神怪之說歟？

問曰：中庸祇在人倫日用，非誠不可，而鬼神不睹不聞，又何必以爲言。子思此章，

曰：常人求鬼神於倫常之外，故日見其惑。君子敬鬼神於衾影之間，則日精其修。子曰：「敬鬼神而遠之」，敬非媚以求福，所以糾心也。故言務民之義，而並言此。子又曰：「言行，所以動天地也，可不愼乎」？行，動天地可也。一言，何以能動天？人在天地殼子裏，如物在人腹中，豈有腹中之物，而謂我不關心者乎？緣天地祇是一氣渾成，流行不息，其主宰之者曰帝，變化不測者曰神。神之一字，就天地言，則夫子妙萬物而爲言，及此章體物不遺盡之矣。就人而言，則志氣如神，聖而不可知之謂神盡之矣。若鬼之一字，在天地則止是陰陽之靈，在人物則半由氣質清濁之偏，兼山川草木飛走之儔，感受氣化不齊，是以變態雜出。君子體天之道，合天之氣，以天之心，裁成一切。帝謂可以潛通，中和敷於萬彙，此書已詳言之。

而降龍伏虎，役鬼驅神，自來爲民捍患禦災，所以爲不朽之人者，亦往往有之矣。若巫覡邪術等，不知中庸之道，而專就鬼神求吉凶者，豈足語於此哉！夫子不語怪神，而又曰某之禱久，祭神如神在，繫易於大人，固曰：與鬼神合其吉凶矣。不爲道，何以知鬼神？爲道而遠人，又何以知鬼神止中庸耶？

愚謂：

「鬼神之爲德」，德何？未發之中，中節之和，二者之靈合而成之者也。鬼神在當年

有未發之中，而後在今日有威嚴之盛。今人得中和，亦即鬼神之爲德也。鬼神在今日人之身外，即當年中和在鬼神之身內，不中和不能成鬼神之德也。爲德之盛，亦爲之以未發之中，而後其爲德能盛。猶人有天下之大本於身，而後有達到之和於天下也。

「視之而弗見，聽之而弗聞」，其不見不聞，人在喜怒哀樂未發之中亦猶是也。

「使天下之人，齊明盛服，以承祭祀」，使之者，在鬼神，而承之者在人。人之齊明盛服，即人之率性而行，又即發而皆中節之和也。

「詩曰：『神之格思，不可度思，矧可射思』」。人祀鬼神，其誠若是。而求神於身內，求未發之中，不可度不可厭，亦要如是，一涉於度厭，自己之神不格也。

「微之顯，誠之不可揜」，微即未發之中也。顯即達道之和也。不可揜，人與「天地合其德，鬼神合其吉凶」（註五十四），一誠而已。誠在人，即莫見乎隱，莫顯乎微也。

大凡人得未發之中，即具有鬼神之盛。人能誠以祭祀鬼神，即人能行率性之道。易曰：「聖人以神道設教，而天下服」（註五十五），設教，即修道之教。修道，即修人人之神道也。神道，即性道也。天下服，即人之情，各服自己之性，服之深而不自覺也。孟子曰：「民日遷善而不知爲之者」（註五十六）。爲政能通以天下之性，即可成以行達道之和，而天下無不治。

此章極言人得未發之中，爲用盛大。曰鬼神之爲德，即當年之人，得未發之中，既有

（註五十四）語出周易卦文言。
（註五十五）見周易古註卷二第十一頁觀卦彖辭。
（註五十六）見孟子盡心章句上第十三章。

其德，而後有以爲之也。今日之鬼神，視之不見，聽之不聞，即當年戒愼恐懼有功夫，能如是而後其德乃成也。「體物不可遺」，物之有體，其爲體亦不外出自未發之中也。中何？即天之所以爲命也。

尙書大傳記周公成洛邑，祀文王，朝諸侯，升歌清廟，苟在廟中，嘗見文王，愀然如復見焉（註五十七）。周公因而著六官，行禮樂於天下，而天下賴以太平，郅治之優，敎化之隆，不外用天之所以爲命也。天之所以爲命，僅周公一人能得之耶？人皆可得也。法天之爲命，舍未發之中，固無以法之也。

子曰：「舜其大孝也與。德為聖人，尊為天子，富有四海之內，宗廟饗之，子孫保之。故大德，必得其位，必得其祿，必得其名，必得其壽。故天之生物，必因其材而篤焉。故栽者培之，傾者覆之。詩曰：『嘉樂君子，憲憲令德，宜民宜人，受祿于天，保佑命之，自天申之』。故大德者，必受命」。

右第十七章

宋　朱熹曰：與，平聲。子孫，謂虞思陳胡公之屬。材，質也。篤，厚也。栽，植也。氣至而滋息爲培，氣反而遊散則覆。

詩，大雅假樂之篇。假，當依此作嘉。憲，當依詩作顯。申，重也。受命者，受天命

（註五十七）語意見上海商務印書館縮印左海文集本尙書大傳卷二第二十七頁及卷四第四十九頁。

受命二字之解駁朱子說

爲天子也。

清 劉沅曰；舜其大孝也與一句，領下德爲聖人，正解大孝之實德本天理，德至則不愧於天，更何愧於子。尊、富、饗、保，又言其遭遇之隆，益廣其孝思，歎羨之詞也。然凡爲孝子，必尊、富、饗、保，而後爲大孝，豈理也哉！夫子因其德而歎其遇，重在德爲聖人句。

次節推開說，言凡大德，必享天心、祿、位、名、壽，就世俗所喜言，以歆動人懋德耳。君相師儒，一官一邑，無愧其職。人尊奉之，即得位也。衣食飽煖，不徒豢養，即得祿也。令聞廣譽，人推典型，即得名也。康強逢吉，全受全歸，即得壽也。不必說到大富貴去。三節，又申言其故。

四節，引成王證之，見不獨舜一人爲然結之。以故大德者必受命，見德即是孝，孝即庸德，庸德至卑邇也。而受天之命即高遠。

中庸以道教人，惟欲人全其天命之性。全性、即全道。道即是德。不愧於天，更何忝於父母。故爲天眷顧，受命，祇是受天眷顧。如堯舜禹湯文周，固爲受命。如孔孟，亦是受命。「帝謂文王，予懷明德」，「天生德於予」，「知我其天」，子思豈教人受命爲天子乎。

愚謂：言舜之孝，上協天命，與上第十五章言父母之順，出於樂爾妻孥，邇可遠，卑可高，其道一也。無他，孝生於性，舜至孝，當年齊家之人也，其後即以孝治天下，舜之成功，無非敎民以率性也。修道之謂敎，即修此孝也。舜稱大孝，使天下之人，皆知盡

孝也。「尊為天子」，天下之人，尊其孝。舜之孝，其大、能法天也。「富有四海之內」，四海之民，皆知盡孝也。「宗廟饗之，子孫保之」，舜教民以孝，即教民以率性。天不改，性不變，天下人民之盡孝與天地同長久。故曰宗廟饗之，子孫保之。所饗所保不專在舜，而在天下萬世。此一人性善，能使天下之人之性無不善。孟子曰：「舜盡事親之道，而瞽叟底豫。瞽叟底豫，而天下化。瞽叟底豫，而天下之為父子者定」(註五十八)

二段大德得位得名得祿得壽。四者之得，亦非謂舜一人能獨得之也。中庸之道，愚夫愚婦，與知與能。凡人能孝，即能率性。能率性，即能必得。人皆可以為堯舜，舜之所必得者，人皆可以得之。即為天子，天子非人人得為，而舜亦「有天下而不與焉」(註五十九)。此章要看舜之能孝，孝從何處來！率性之人，外性之事，不絲毫加入，而後能必也。

三段言天生物，證舜之孝，有以動天地，感神明也。栽培傾覆，天之道也，即天之為命也。人率性而行，即上協於天。易曰：「自天佑之，吉无不利。子曰：佑者，助也。天之所助者，順也。人之所助者，信也」(註六十)。舜孝也，孝何以能順天？孝生於性，性命自天，天佑舜孝，佑舜之能以性事天也。因材而篤，天亦因之以性也。

章末言「大德者必受命」。受命，非受命為天子也。天下為天子者，不皆大德也。

(註五十八) 見孟子離婁章句上末段。
(註五十九) 見孟子滕文公章句上許行章。
(註六十) 見周易古註繫辭上卷七第十頁。

中庸一篇，專言天命之性，性也者，人人平等以有之也。受命，即受天命性之命也。受之者，易所謂「保合太和，乃利貞」(註六十一)也。大舜受命，天之爲命，大舜有之，大舜以天之爲命者，又命之於天下之人。易曰：「首出庶物，萬國咸寧」(註六十二)。何首？性也。何出庶物？命也。天之爲命，首出庶物，舜能受之者，舜之德，與天合也。舜受命於天，天有私於舜耶？天之生物，必因其材而篤焉。舜德如天，舜有未發之中，故自天佑之。易曰：「雲從龍，風從虎，聖人作，而萬物睹」(註六十三)。凡世間吉凶禍福，皆以類相從，一感一應之理，有以爲之。詩曰：「皇矣上帝，臨下有赫，鑒觀四方，求民之莫」(註六十四)。天求人莫，亦求之以未發之中，以代行其道耳。祿於舜，民於舜，壽於舜，非爲舜一人有未發之中，舜五教之敷，五典之徽，使民不近於禽獸，舜之民，知率性之道，舜之民，有未發之中也。前言舜能用中於民，其中亦即未發之中也。

或曰：舜五倫皆善，孔子獨以孝稱其大者，何也？曰：孝之至，即性之至，人之性，雖命自天，而人得未發之中，即有天之所以爲命。孝自性出，即出自未發之中。人之孝大，則百行皆能大，其大亦大以未發之中也。世之人犯上作亂，大半自不孝始。論語一書，多記問孝，在弟子問孝，即是以性問，在聖人教孝，即是以性教也。

或曰：孔子之不有天下，何也？德猶未大歟？曰：孔子刪詩書，訂禮樂，修春秋，贊

(註六十一) 見周易首章乾卦彖辭。
(註六十二) 見周易首章乾卦彖辭。
(註六十三) 見周易首章乾卦文言。
(註六十四) 見毛詩古註卷十六大雅第十一頁。

周易，功在萬世，世稱「素王」(註六十五)，豈一代之素王也哉？堯舜之聖，猶賴孔子之祖述，而後其功乃大，而天下後世知由孔子以上率堯舜，知由以未發之中而上率之。子思之授，孟子之傳，天道人道至今未泯沒也。宰我曰：「以予觀於夫子，賢於堯舜遠矣」(註六十六)。

子曰：「無憂者，其惟文王乎。以王季為父，以武王為子，父作之，子述之。武王纘大王王季文王之緒，壹戎衣，而有天下。身不失天下之顯名，尊為天子，富有四海之內，宗廟饗之，子孫保之。武王末受命，周公成文武之德，追王大王王季，上祀先公以天子之禮，斯禮也，達乎諸侯大夫，及士庶人。父為大夫，子為士，葬以大夫，祭以士。父為士，子為大夫，葬以士，祭以大夫。期之喪，達乎大夫。三年之喪，達乎天子。父母之喪，無貴賤一也」。

右第十八章

宋　朱熹曰：此言文王之事，書言王季其勤王家，蓋其所作，亦積功累仁之事也。解首五句

大、音泰，下同。此言武王之事。纘，繼也。大王，王季之父也。書云：大王肇基王

(註六十五)見春秋序。
(註六十六)見孟子公孫丑章句上知言養氣章。

跡。詩云：至於大王，實始剪商。緒，業也。戎衣，甲冑之屬。壹戎衣武成文。言一著戎衣以伐紂也。**解武王纘大王王季至子孫保之**

追王之王，去聲。此言周公之事。末，猶老也。追王，蓋推文武之意，以及乎王跡之所起也。先公，組紺以上，至后稷也。上祀先公以天子之禮，又推大王王季之意，以及於無窮也。制爲禮法，以及天下，使葬用死者之爵，祭用生者之祿，喪服自期以下，諸侯絕，大夫降，而父母之喪，上下同之，推己以及人也。**解末段**

元　許謙曰：十八章、十九章，皆以周事繼大舜而言。二十章，又以孔子繼周，皆是聖人行所言，見道之費，而無不合于中庸者。

無憂，專指國家上說，如文王羑里之囚，若可憂矣。雖聖人無入不自得，然亦是一身事。父作子述，卻是言國家事。周家上世，節節有憂患，自夏君棄稷不務不窋即失其官守，逃之西戎，至公劉方復遷豳，太王又爲狄人所侵遷岐，雖肇基王迹，而身遭憂患矣。王季雖勤王家，辟國漸廣，亦但守舊國而已。文王三分天下有其二，而猶守諸侯之舊，至武王方受命爲王。故惟文王用得無憂二字。蓋文王上承已大之國，已不勞力，不逢變故，以歸之子，適當商家天命未絕之時，已得從容其間。至承天命，著戎衣，奄有四海，乃是武王事，文王都不費力。

末，猶後也，終也。蓋周自太王、王季、文王，累世積德累功，國土已大，最後至武王始受天命，爲天下君，周公乃承之，而追王先王。如此說，末字則與上下文都相貫穿。訓末爲老，恐未安。蓋武王之齡，古書不紀。

追王三王，武王既滅商，在商郊已行之。禮記大傳曰，牧之野，武王之大事也。既事而退，柴於上帝，祈於社，設奠于牧室（牧野之室），遂率天下諸侯，執豆籩，駿奔走，追王太王亶父、王季歷、文王昌，不以卑臨尊也。又書武成、金縢、康誥、酒誥，諸篇，皆可見。所謂周公成文武之德，只是又推太王王季之意，而以天子之禮祀先公也。斯禮也以下，又是因此以定上下之通禮。

輯略曰：期之喪有二。正統之期，爲祖父母。旁親之期，爲世父母、叔父母。衆子昆弟，昆弟之子是也。正統之期，雖天子諸侯莫敢降。旁親之期，天子諸侯絕，大夫降。

清　劉沅曰：上章庸德克享天心，意重在欲人修德，不重在受命。子思以中庸之德望人，固欲人人咸歸於聖賢。而聖賢受天眷顧者，人不盡知，特就子言文王，以明作述，一家以德傳世，即以德及於天下，此現成一好榜樣。不重在武王有天下周公追王等事，重在纘緒不失顯名，成文武之德。蓋聖人道得於身，原止修其在己。然身以之修，家以之齊，子孫以之賢智。一或得志，如舜與文王武周，以己之德及人，而遂功在乾坤，人人皆有此道，即人人皆可以德作述全其德矣，即匹夫亦可法。此子思引述一片深心，切勿誤認要人妄想作無憂之文王也。章意重在教人以德爲作述。**解首節六句**

武王末受命，作受命爲天子解，與上章受命，事殊而理一。

愚謂：

「無憂者，其惟文王乎」。文王率性，七情和，故能無憂。「以王季爲父，武王爲子，父作之，子述之」，一作一述，亦率性而已。或曰：疚里之囚，文王之憂也。曰：文王之憂，憂生民多艱，憂未能化紂惡以同歸於善，同行率性之道，文王之憂，由無憂而後乃有此憂也。紂之惡，由有憂而求樂，七情之發，不能中節也。故文王繫易，以天之道，合人之性言之，即言人可與天合一也。孟子之論桀紂也，曰：「乃若其情，則可以爲善矣」(註六十七)。趙岐注曰：「若，順也」(註六十八)。順何？變化其氣質，則性可復。孟子善言性善，其傳得之於子思，子思此書，盡是言若性之功夫，亦若之以未發之中而已。

「周公成文武之德」，成以上祀先公以天子之禮，達乎諸侯大夫及士庶人。文武之德高矣美矣，而周公必成之以禮者，何也？朱子曰：「禮者，天理之節文，人事之儀則」(註六十九)。禮不行，天理滅矣。文武之德無由以長在人間，天下後世，亦何由以長享文王所致之太平？周公禮兼二代，樂備六王，豈徒然哉！於後韓宣子適魯，見易象與春秋，猶曰：「周禮盡在魯矣！吾乃今知周公之德，與周之所以王」(註七十)。易象與春秋，即禮之本源所在也。孟子曰：「夫天未欲平治天下也，如欲平治天下，當今之世，舍我其誰也。」(註七十一)，余謂今之世，孟子復生，舍禮殆亦無以爲之也。此書言修道之教，即修之以禮也。

子曰：「武王周公，其達孝矣乎。夫孝者，善繼人之志，善述人之事者也。春秋修其祖廟，陳其宗器，設其裳衣，薦其時食。宗廟之禮，所以序昭穆

(註六十七) 見孟子告子章句上第六章。

(註六十八) 見孟子古註卷十一告子章句上第九七頁。

(註六十九) 見論語學而第一、禮之用和爲貴章朱句。

(註七十) 見春秋經傳古註卷二十昭公韓宣子來聘章。

(註七十一) 見孟子公孫丑下第十三章。

也。序爵，所以辨貴賤也。序事，所以辨賢也。旅酬下為上，所以逮賤也。燕毛，所以序齒也。踐其位，行其禮，奏其樂，敬其所尊，愛其所親，事死如事生，事亡如事存，孝之至也。郊社之禮，所以事上帝也。宗廟之禮，所以祀乎其先也。明乎郊社之禮，禘嘗之義，治國其如示諸掌乎」。

右第十九章

宋　朱熹曰：達，通也。承上章而言武王周公之孝，乃天下之人通謂之孝，猶孟子之言達尊也。解首句

上章言武王纘大王王季文王之緒，以有天下。而周公成文武之德，以追崇其祖先，此繼志述事之大者也。下文又以其所制祭祀之禮，通於上下者言之。解善繼善述兩句

劉沅駁此說

祖廟，天子七，諸侯五，大夫三，適士二，官師一。宗器，先世所藏之重器。若周之赤刀、大訓、天球、河圖之屬也。裳衣，先祖之遺衣服。祭則設之，以授尸也。時食，四時之食，各有其物。如春行羔豚，膳膏香之類是也。解春秋修其祖廟四句

膏香，牛膏也。語出禮記內則篇

爲，去聲。宗廟之次，左爲昭，右爲穆，而子孫亦以爲序，有事於太廟，則子姓兄弟，群昭群穆咸在，而不失其倫焉。爵，公侯卿大夫也。事，宗祝有司之職事也。旅，眾也。酬，導飲也。旅酬之禮，賓弟子兄弟之子，各舉觶於其長，而眾相酬。蓋宗廟之中，以有事爲榮，故逮及賤者，使亦得以申其敬也。燕毛，祭畢而燕，則以毛髮之色，別長幼爲坐次也。齒，年數也。解宗廟之禮至所以序齒也

踐，猶履也。其，指先王也。所尊所親，先王之祖考子孫臣庶也。始死，謂之死。既

葬，則曰反而亡焉，皆指先王也。此結上文兩節，皆繼志述事之意也。**解踐其位至孝之至也**

郊祭天，社祭地。不言后土者，省文也。禘，天子宗廟之大祭。追祭太祖之所自出於太廟，而以太祖配之也。嘗，秋祭也。四時皆祭，舉其一耳。禮必有義，對舉之，互文也。示、與視同。視諸掌，言易見也。此與論語文意，大同小異，記有詳略耳。

元　許謙曰：前章言文武周公，此章又言武王周公，蓋武王有天下，然後周公可以制禮，二者皆繼志述事之大者。然章內皆是言禮，蓋主周公而言，謂制爲宗廟祭器祭服薦獻之禮，而於宗廟之中，又制昭穆序爵序事酬燕之禮，又推爲郊社之禮，然祭祀一事中，推至於極，則郊天禘祖，乃其至大者，非聖人大孝，孰能若此，此皆費之大。此章雖連言武王周公，其實主周公而言，周公合先王累世典禮，定爲周制，中間損益，合乎時中，又可垂之萬世，其制大備矣。此獨指祭祀一禮而言，祭中又只主于宗廟推及郊社，此皆舉一端言之，於宗廟中，自有許多曲折，可見道之費，推至於吉禮之全，其費可知，又推至五禮備，其費又可知也。

宗廟之禮一節五事，禮意至爲周密。序昭穆，既明同姓之尊卑。序爵，是合同姓異姓之貴賤，蓋指助祭陪位者而言。至於序賢，則分別群臣之賢否。廟中奔走執事，必擇德行之優，威儀之美，趨事之純熟者爲之。賢者既有事，則不賢者亦能自勸。雖然既以有事爲榮，則事不及之者，豈不有恥？則又有序爵，以安其心。執事者既榮，無事有爵而在列者，及賤而役於廟中者，皆得與旅酬。至此賢不賢，皆恩禮之所逮。然後合同姓異姓而通言，至祭禮已畢，尸既出，異姓之臣皆退，獨燕同姓，是親親之禮，又厚於疏遠者，見制禮之意，文理密察，恩意周備，仁至義盡，而文章粲然。

天子諸侯之祭禮已亡，雖間有散見於禮中者，今不可知其詳矣。所存有特牲饋食禮，諸侯之士之祭禮也。少年饋食禮，諸侯大夫之祭禮也。大抵祭必立尸，必擇賓，賓一人，眾賓無數。眾賓者，賓之黨也。其位在堂下西階之西。祭則子侄兄弟皆會。小宗祭，則兄弟皆來。大宗祭，則一族皆至。兄弟者，主人之黨也。其位在堂下阼階之東。有司群執事，皆北面而立。迎尸既入，主人初獻，主婦亞獻，賓三獻，及尸主兄弟名相獻酢畢，然後行旅酬。

凡主人酌酒奉尸賓者謂之獻。尸賓酌以答主人者謂之酢。主人酌酒以自飲，再酌以獻賓者謂之酬。先自飲，謂引導之飲也。旅，眾也。主人舉觶酌酒，自西階酬賓。主先自飲，再酌以進，賓受之奠而未飲，兄弟弟子舉觶於長兄弟於阼階。弟子者，兄弟之後生者也。長兄弟者，兄弟之最尊者也。弟子導飲，而長兄弟亦奠而未飲，賓取所奠觶於阼階酬長兄弟，長兄弟西階前酬賓，眾賓及眾兄弟交錯以徧，以及執事者無不徧，卒飲者賓爵于篚，此旅酬之大略也。

又賓弟子及兄弟弟子，各舉觶於其長，亦先自飲如旅酬，所謂下爲上也。賓取觶酬兄弟之黨，長兄弟取觶酬賓之黨，亦交錯以徧，無次第之數，謂之無算爵，所以逮賤者如此。

天子祭禮亡不可考，楚茨之詩曰：「神具醉止，皇尸載起，鼓鐘送尸，神保聿歸，諸宰君婦，廢徹不遲，諸父兄弟，備言燕私」。箋云：祭祀畢，歸賓客之俎，同姓則留與之燕，所以尊賓客親骨肉也。疏：尸已出，而諸宰君婦徹去俎豆，歸賓客之俎，其

諸父兄弟留之，使皆備具，我當與之燕，而盡其私恩也。

顧命序所陳之寶，有赤刀、大訓、弘璧、琬琰、大玉、夷玉、天球、河圖、胤之舞衣、大貝、鼖鼓、兌之戈、和之弓、垂之竹矢。章句曰之屬，則盡包上所陳者在其中。龜山先生亦曰：宗器于祭陳之，示能守也。於顧命陳之，示能傳也。大訓、三皇五帝之書，訓誥亦在焉。文武之訓，亦曰大訓。弘璧、大璧。琬琰，琬圭琰圭也。夷，常也。或以爲東夷之美玉。天球，雍州所貢之玉磬也。河圖，伏羲時龍馬負圖出於河。胤，古國名。舞衣，舞者之衣。大貝如車渠，車渠，車罔也。謂貝之大如車之罔。鼖鼓長八尺。兌、和，古之巧人。垂，舜之共工。舞衣、鼖鼓、戈、工弓、竹矢，皆制作精巧，中法度，故歷代傳寶之。

薦其時食，天官庖人，凡用禽獸，春行羔豚，膳膏香。夏行腒鱐，膳膏臊。秋行犢麛，膳膏腥。冬行鱻羽，膳膏羶。注疏：用禽獸，謂煎和之以獻王。行，與用同。膳，謂煎和也。腒，音渠，乾雉。鱐，音搜，乾魚。鱻，與生同，魚也。羽，鴈也。膏，脂也。又如詩：「獻羔祭韭」，冬薦魚，春獻鮪，月令、孟夏以彘嘗麥，仲夏以雛嘗黍，羞以含桃，孟秋登穀嘗新，仲秋以犬嘗麻，季秋以犬嘗稻，皆先薦寢廟，此類皆是也。祭畢而燕。今不知其儀，亦如楚茨之詩見其大意，云「皇尸載起，神保聿歸」，然後言「諸父兄弟，備言燕私」。下章曰，「樂具入奏」，說者謂祭時在廟，燕時在寢，故祭時之樂，皆入奏於寢也。所謂燕禮，其可知之，仿佛若此。

燕毛，朱子曰：祭畢而燕，則以毛髮之色，別長幼爲坐次也。齒，年數也。

清　劉沅曰：此章承上作述而言，以武周達孝在時中之意。達孝，是夫子特地立此名

目，天下無印板文字，無論常變，要在因時制宜，恰合道理，不特一家作述爲然也。而一家已無不然，即達孝可以類推，此子思立言之意也。若謂通天下之人，皆謂之孝。孝子豈必人人皆知其孝。舜之大孝，天下人皆以爲孝，亦可謂達孝矣。次節正申明達字之義。下文舉宗廟禮制以見其概，是達孝中一端。春秋節，言其孝思隨時不懈。宗廟之禮節，括言其禮之詳。踐其位節，緊承而贊歎之。孝之至也至字，即達字意，言其精微周備，所以爲達。

末節承孝字作轉，言本孝以爲禮，天祖可格，治國何難，又帶起下章意。子思言義理，則廣大精微。言文法，則細鍼密縷，宜乎解人之不易乎！時解分春秋二節，一時祭，一祫祭言，其理亦通，而上下文相承之意不明。

宗廟之禮句，專指同姓在廟裏事晉接之禮。下句緊承此句言，講家謂冒下通節所以序昭穆句，如何通耶？雖一節皆是宗廟之禮，然夫子此句，第指班序之禮，故申之曰，所以序昭穆。末節宗廟之禮，乃該括言之。若如時講，豈不複耶？

昭穆之說不同，多以朱子爲主，然朱子廟皆東向之說，未免誤認，而諸儒益滋之惑。不知廟制太祖居中南向，其兩旁分列，則左昭右穆。左陽，故曰昭。右陰，故曰穆。而非向南向北之謂也。左右之廟，皆各爲一宮，以次坐北向南，主無東向之理。朱子謂室西南隅爲奧，乃常人所居之室，而豈廟制乎？

惟合祭於太廟，則群廟之主，皆同遷於太廟，室堂中仍以左昭右穆，分序兩旁，如侍太祖者然。禘天子大祭，則祭始祖所自出於太廟，帝居北，而太祖退出南面以配之。周公制禮，不曰左右，而曰昭穆，以文王有穆穆之德，武王有昭明之功，因爲是名。

而子孫因以爲序，其各爲廟室，皆坐北向南，如明堂之義。記曰：尸飲五，君洗玉爵獻卿。尸飲七，以瑤爵獻大夫。尸飲九，以散爵獻士及群有司。此章旅酬，即指此時而言。

蓋古者，祭必立尸，尸既飲矣，君即分神惠以飲群臣。其無執事之子弟等，不得與焉。故各代其長舉觶，又各舉觶於其長，以相酬酢。人眾故曰旅，而申之曰所以逮賤。非謂尸已醉飽，乃賓主相酬爲無算爵，而置尸於不顧也。其禮則天子不爲主，長兄弟代之。燕毛祭畢，而徹俎移後寢，惟留同姓燕，仍分昭穆，而於昭穆之中，又擇其長者居上位，爵與賢，皆不論，以異姓之賢者爲賓，天子自主人。故行葦之詩曰，「序賓以賢」，「曾孫爲主」也。次曰繹祭，乃行賓尸之禮，踐其位節，其字皆指文王，位、禮、樂非文之舊，而莫非志事之當然，且推文王所尊親，而皆愛敬之。武周孝思，周詳精密，故爲達孝。末節又以其享帝享親之至意，推言以爲政治所本，而子思引以明中庸之旨，亦自然神迴意合，所以爲至文也。

愚謂：

就上論孝，又推廣言之。曰達孝，孝不一人有諸身，推而達諸天下也。周公何以爲達？宗廟之禮，祀乎其先。郊社之禮，事上帝。由祖先以推到上帝，達也。「治國其如示諸掌乎」，祀神治天下，聖人一以禮達之，天人合一也。修道之教，修人人以率性之道，即修以人人必由之禮而已。

第十八、十九兩章，孔子舉文武周公之孝，其歸結讚嘆，皆在制禮作樂，何也？曰：率性之道，千古聖人，思以推及於天下，由一世而萬世，人無不率性之人，世無不盡孝之事，其建設惟在禮與樂。制禮作樂，亦因民所固有而裁成之，不責民之率性，而民自知率性。堯舜以後，禹湯文武數聖人，惟周公尤能集其大成，孟子稱之曰：「思兼三王，以施四事，其有不合者，仰而思之，夜以繼日，幸而得之，坐以待旦」(註七十二)。思何？思前聖之制作何在也。得何？得其法而後其建設無勿善也。

周公一生制作之精神，全在禮樂，天不變，道不變，民性不變，立教亦不可變也。孔子贊郊社之禮，禘嘗之義，治國如示諸掌。朱子釋之曰：「明其易行也」。何謂易行？禮樂因民性之所固有，民習之，還之於民，而民之性復。善繼善述，其所以能善，微禮樂不能。達孝為天下之所大，其所以能達，亦微禮樂無以為達。

濂溪周子曰：「天下之達道，聖人之事也。故聖人立教，俾民自易其惡，自至其中而止矣」(註七十三)。其曰中，即此未發之中也。又曰：「後世禮法不修，政刑苛紊，縱欲敗度，下民困苦，謂古樂之不足聽也，代變新聲，妖淫愁怨，導欲增悲，不能自止。故有賊君棄父，輕生敗倫，不可禁者矣。嗚呼！樂者，古以平心，今以助欲；古以宣化，今以長怨。不復古禮，不變今樂，而欲至治者，遠矣」(註七十四)！讀至此能不傷心於今世之天下乎？

哀公問政。子曰：「文武之政，布在方策，其人存，則其政舉；其人亡，則其政息。人道敏政，地道敏樹。夫政也者，蒲盧也。故為政在人，取人

(註七十二) 見孟子離婁章句下第二十章。
(註七十三) 見周子通書師第七。
(註七十四) 見周子通書樂上第十七。

以身，修身以道，修道以仁。仁者，人也。親親為大。義者，宜也。尊賢為大。親親之殺，尊賢之等，禮所生也。在下位，不獲乎上，民不可得而治矣。故君子不可以不修身，思修身，不可以不事親，思事親，不可以不知人，思知人，不可以不知天。

天下之達道五，所以行之者三，曰：君臣也，父子也，夫婦也，昆弟也，朋友之交也。五者，天下之達道也。知仁勇三者，天下之達德也。所以行之者，一也。或生而知之，或學而知之，或困而知之，及其知之，一也。或安而行之，或利而行之，或勉強而行之，及其成功，一也。子曰：好學近乎知，力行近乎仁，知恥近乎勇。知斯三者，則知所以修身，知所以修身，則知所以治人，知所以治人，則知所以治天下國家矣。

凡為天下國家有九經，曰：修身也，尊賢也，親親也，敬大臣也，體群臣也，子庶民也，來百工也，柔遠人也，懷諸侯也。修身則道立。尊賢則不惑。親親則諸父昆弟不怨。敬大臣則不眩。體群臣，則士之報禮重。子庶民，則百姓勸。來百工，則財用足。柔遠人，則四方歸之。懷諸侯，則天下畏之。齊明盛服，非禮不動，所以修身也。去讒遠色，賤貨而貴德，所以勸賢也。尊其位，重其祿，同其好惡，所以勸親親也。官盛任使，所以勸大臣也。忠信重祿，所以勸士也。時使薄斂，所以勸百姓也。日省月試，既廩稱事，所以勸百工也。送往迎來，嘉善而矜不能，所以柔遠人也。繼絕世，舉廢國，治亂持危，朝聘以時，厚往而薄來，所以懷諸侯也。凡為天下國家有九經，所以行之者，一也。

凡事豫則立，不豫則廢。言前定，則不跲。事前定，則不困。行前定，則不疚。道前定，則不窮。在下位，不獲乎上，民不可得而治矣。獲乎上有道，不信乎朋友，不獲乎上矣。信乎朋友有道，不順乎親，不信乎朋友矣。順乎親有道，反諸身不誠，不順乎親矣。誠身有道，不明乎善，不誠乎身矣。

誠者，天之道也。誠之者，人之道也。誠者，不勉而中，不思而得，從容中道，聖人也。誠之者，擇善而固執之者也。

博學之，審問之，慎思之，明辨之，篤行之。有弗學，學之弗能，弗措也。有弗問，問之弗知，弗措也。有弗思，思之弗得，弗措也。有弗辨，辨之弗明，弗措也。有弗行，行之弗篤，弗措也。人一能之，己百之。人十能之，己千之。果能此道矣，雖愚必明，雖柔必強」。

右第二十章

宋　朱熹曰：哀公，魯君名蔣。方、版也。策，簡也。息，猶滅也。有是君，有是臣，則有是政矣。解首八句

敏，速也。蒲盧，蒲葦也。以人立政，猶以地種樹，其成速矣。而蒲葦又易生之物，其成尤速也。言人存政舉，其易如此。**解人道敏政四句**

此承上文人道敏政而言也。爲政在人，家語作爲政在於得人，語意尤稱。人，謂賢臣。身，指君身。道者，天下之達道。仁者，天地生物之心。而人得以生者，所謂元者，善之長也。言人君爲政，在於得人。而取人之則，又在於修身。能仁其身，則有君有臣，而政無不舉矣。**解故為政在人四句**

殺，去聲。人指人身而言。具此生理，自然便有惻怛慈愛之意，深體味之可見。宜者，分別事理，各有所宜也。禮則節文斯二者已。**解仁者仁也至禮所生也**

在下位三句，鄭氏曰：此句在下，誤重在此。

爲政在人，取人以身，故不可以不修身。修身以道，修道以仁，故思修身，不可以不事親。欲盡親親之仁，必由尊賢之義，故又當知人。親親之殺，尊賢之等，皆天理也，故又當知天。**解故君子不可以不修身至不可以不知天**

知，去聲。天下古今所共由之路，即書所謂五典，孟子所謂父子有親，君臣有義，夫婦有別，長幼有序，朋友有信是也。知，所以知此也。仁，所以體此也。勇，所以強此也。謂之達德者，天下古今所同得之理也。一，則誠而已矣。達道雖人所共由，然無是三德，則無以行之。達德雖人所同得，然一有不誠，人欲間之，而德非其德矣。程子曰：所謂誠者，只是誠實此三者，三者之外，更別無誠。**解天下之達道五至所以行之者一也**

強，上聲。知之者之所知，行之者之所行，謂達道也。以其分而言，則所以知者，知也。所以行者，仁也。所以至於知之成功而一者，勇也。以其等而言，則生知安行者，知也。學而利行者，仁也。困知勉行，勇也。蓋人性雖無不善，而氣稟有不同者，故聞道有蚤暮，行道有難易。然能自強不息，則其至一也。呂氏曰：所入之塗雖異，而所至之域則同，此所以爲中庸。若乃企生知安行之資，爲不可幾及，輕困知勉行，謂不能有成，此道之所以不明不行也。**解或生而知之至成功一也**

子曰，二字衍文。好，近乎知之知，並去聲。此言未及乎達德，而求以入德之事。通上文三知爲知，三行爲仁，則此三近者，勇之次也。呂氏曰：愚者自是而不求，自私者徇人欲而忘返，懦者甘爲人下而不辭。故好學非知，然足以破愚。力行非仁，然足以忘私。知恥非勇，然足以起懦。**解子曰好學近乎知三句**

斯三者，指三近而言。人者，對己之稱。天下國家，則盡乎人矣。言此以結上文修身之意，起下文九經之端也。**解知斯三者六句**

經，常也。體，設以身處其地，而察其心也。子，如父母之愛其子也。柔遠人，所謂無忘賓旅者也。此列九經之目也。呂氏曰：天下國家之本在身。故修身爲九經之本。然必親師取友，然後修身之道進，故尊賢次之。道之所進，莫先其家，故親親次之。由家以及朝廷，故敬大臣，體群臣次之。由朝廷以及國，故子庶民，來百工次之。由國以及天下，故柔遠人，懷諸侯次之。此九經之序也。視群臣，猶吾四體，視百姓，猶吾子，此視臣視民之別也。**解天下國家有九經十句**

此言九經之效也。道玄，謂道成於己，而可爲民表，所謂皇建其有極是也。不惑，謂不疑於理。不眩，謂不迷於事。敬大臣，則信任專，而小臣不得以間之，故臨事而不眩也。來百工，則通工易事，農末相資，故財用足。柔遠人，則天下之旅，皆悅而願出於其塗，故四方歸。懷諸侯，則德之所施者博，而威之所制者廣矣，故曰天下畏之。

解修身則道立至天下畏之

齊，側皆反。去，上聲。遠、好、惡、斂，並去聲。稱，去聲。此言九經之事也。官盛任使，謂官屬衆盛，足任使令也。蓋大臣不當親細事，故所以優之者如此。忠信重祿，謂待之誠而養之厚，蓋以身體之，而知其所賴乎上者如此也。既，讀曰餼。餼稟，稍食也。稱事，如周禮稾人職曰：考其弓弩，以上下其食是也。往則爲之授節以送之，來則豐其委積以迎之。朝謂諸侯見於天子，聘謂諸侯使大夫來獻。王制，比年一小聘，三年一大聘，五年一朝。厚往薄來，謂燕賜厚而納貢薄。**解齊明盛服至所以懷諸侯也**

一者，誠也。一有不誠，則是九者皆爲虛文矣。此九經之實也。

跲，其劫反。行，去聲。凡事，指達道達德九經之屬。豫，素定也。跲，躓也。疚，病也。此承上文言，凡事皆欲先立乎誠，如下文所推是也。**解凡事豫則立至則不窮**

此又以在下位者，推言素定之意。反諸身不誠，謂反求諸身，而所存所發，未能真實而無妄也。不明乎善，謂未能察於人心天命之本然，而真知至善之所在也。**解在下位至不誠乎身矣**

中，並去聲。從，七容反。此從上文誠身而言。誠者，真實無妄之謂，天理之本然也。誠之者，未能真實無妄，而欲其真實無妄之謂，人事之當然也。聖人之德，渾然天理，真實無妄，不待思勉，而從容中道，則亦天之道也。未至於聖，則不能無人欲之私，而其爲德，不能皆實，故未能不思而得。則必擇善，然後可以明善。未能不勉而中，則必固執，然後可以誠身。此則所謂人之道也。不思而得，生知也。不勉而中，安行也。擇善，學知以下之事。固執，利行以下之事也。**解誠者天之道也至固執之者也**

此誠之之目也。學問思辨，所以擇善而爲知，學而知也。篤行，所以固執而爲仁，利

而行也。程子曰：五者廢其一，非學也。**解博學之至篤行之**

君子之學，不爲則已，爲則必要其成。故常百倍其功，此困而知，勉而行者也，勇之事也。**解有弗學至己千之**

明者，擇善之功。強者，固執之效。呂氏曰：君子所以學者，爲能變化氣質而已。德勝氣質，則愚者可進於明，柔者可進於強。不能勝之，則雖有志於學，亦愚不能明，柔不能立而已矣。蓋均善而無惡者，性也，人所同也。昏明強弱之稟不齊者，才也。人所異也。誠之者，所以反其同，而變其異也。夫以不美之質，求變而美，非百倍其功，不足以致之。今以鹵莽滅裂之學，或作或輟，以變其不美之質，及不能變，則曰天質不美，非學所能變，是果於自棄，其爲不仁甚矣。**解末三句**

此章引孔子之言，以繼大舜文武周公之緒，明其所傳之一致，舉而措之，亦猶是耳。蓋包費隱，兼小大，以終十二章之意。章內語誠始詳，而所謂誠者，實此篇之樞紐也。又按孔子家語，亦載此章，而其文尤詳。成功一也之下，有公曰：子之言美矣，至矣，寡人實固不足以成之也。故其下復以子曰起答辭，今無此問辭，而猶有子曰二字，蓋子思刪其繁文，以附於篇，而所刪有不盡者，今當爲衍文也。博學之以下，家語無之，意彼有闕文，抑此或子思所補也歟。

元　許謙曰：金先生謂此章當作六節看，章首至不可以不知天爲一節。達道達德至天下國家矣爲二節。九經爲三節。凡事豫至不誠乎身爲四節。言誠爲五節。博學以下爲六節。此章朱子以爲皆孔子之言，金先生謂聖人之言簡，自仁者人也，皆子思之言，雜引夫子之言，反覆推明之。

仁者人也，此是自古來第一箇訓字，言混成而意深密，深體味之，則具人之形，必須盡乎仁，其所以盡仁，則不過盡人道而已。

第二節，天下之人，生與我同類，皆在五倫之中。惟朋友一倫，所包最廣，除卻君臣父子夫婦長幼外，皆入朋友之倫。故大學言，與國人交，止於信。此朋友之交，是提起道合之人說。蓋中庸是修德之事，教君子之書也。交字不可輕讀過。

子曰二字，非衍文，上知仁勇兩節，子思之自言，此引孔子之言以足其意，與孟子「其事則齊桓晉文，其文則史，孔子曰：其義則丘竊取之矣」文法同。

語錄，勸親親也，似多一親字，勸者所以致吾親愛之心，而慰悅之意。

誠者，天道。誠之者，人道。二者字，若問辭，與二也字相應。誠者不勉而中，誠之者擇善而固執，二者字，指人而言，是說盡誠之人，與未至乎誠之人。

中庸一書，廣大高深，到此章方說出下手處，大要三達德，乃入道之門，而誠爲之本。

學、問、思、辨、行，五者，乃誠之之目，其所以誠之，惟欲盡五達道。

春秋傳序，大事書之於策，小事簡牘而已。正義，簡容一行字，數行者書于方，方所不容，書于策。

誠者，此篇樞紐，今以此言觀一篇，皆言誠也。言天之實理固誠也，言聖人之實德亦誠也，言人之欲實之者亦誠也。故天命者，以實理付於人物也。性者，人物得天之實理也。道者，循此實理也。教者，品節此實理也。戒慎，存此實理也。慎獨，行此實理也。未發之中，實理之體也。中節之和，實理之行也。中和實理之感，而位育實理之應也。中庸，誠之至也。大舜，誠者也。顏子，誠之者也。強矯，誠之者當如是也。孔子依乎中庸，亦誠者也。道之費而隱，誠之盈乎天地者也。費之小大，皆誠之所生也。言鬼神見幽顯之皆誠也。

仁者，天地生物之誠，而人得以生之誠也。修道以之者，體此誠也。親親尊賢，誠之施也。殺等之禮，誠自然之節也。達道達德九經，皆以誠行之也。豫與前定，先立乎誠也。自治民推至乎明善，皆在誠乎身也。自誠者以下，明言誠又以實夫達德也。二十一章至二十六章，皆明言誠。二十七章，洋洋優優，皆誠之著也。尊德行以下五事，又言誠之方也。二十八章爲下不倍，二十九章爲上不驕，亦誠之之事。三十章至三十二章，皆誠者也。末章歷序誠之以至於至誠，復言天道之誠，終焉又細而推之，何一語非誠也。

清　劉沅曰：此章子思引子之言，以明中庸之道，聖德而王功備焉，其要本於誠身，以起下文。自十二章至此，大要言道之費隱，近在倫常，通乎天命，舉舜文武周，以爲庸行之則，而此章又推其義於治世，皆不外乎修身，以修身爲誠身，上沿誠不可揜，下起天下之至誠也。

兩「誠者」，上誠者，懸說誠之理。下誠者，已誠之人。兩「誠之者」，上「誠之者」，對天而言，謂人之體天誠身者。下「誠之者」，謂方求誠，而未遽誠者。

博學節，指出擇執之目，有弗節，乃實言求誠之功，困勉如是，學利亦必如是，即生安如孔子，好古敏求亦如是，學聖人無二功，若謂困勉如此，我不必如此，則非理矣。

愚謂：

「人存政舉，人亡政息」。政何？下列九經，即修道謂教之目。人何？即愼獨而有得於未發之中之人也。

「思知人，不可以不知天」，天從何而人可知，知以一己之性而已。性分自天，知性則知天。性從何而知，未發之中，我得之，我即天也。知天知人，亦知之以性也。他人之生，我不可見，惟其情發於外，中節與不中節而已。孟子曰：「詖辭知其所蔽，淫辭知其所陷，邪辭知其所離，遁辭知其所窮」(註七十五)。孟子之知言，亦知之於性合與未合而已也。推之堯知驩兜之象恭滔天，舜之克諧以孝，亦察其所行所爲，與性合與不合而已。千古帝王，承平大業，一性字之功夫，可以盡之。

「所以行之者，一也」。一何？誠也。誠之至，即未發之中，天下之達道也。

行五達道，必由三達德者：無智，則不能如舜執兩以用中。無仁，則只知辭爵祿，蹈白刃，猶偏於氣質以爲用。無勇，則僅能如南方之強，北方之強，而不能中立而不倚。五達道，人性之所在，人人之所具備，人人之良知良能也。人人原可率性而行，無待他人以達之者也。然性有已爲物欲所蔽者，必先以此三者啓發之，然後教育有所入。

此聖人修道之教，欲修到天下人人以無不善，有不容或紊也。

「生知、學知、困知」，知何？知性而已。「安行、利行、強行」，行何？行所性而已。「知之一，成功一」者，性一而已也。無不同之天地，即無不同之人，萬古千秋，愚夫愚婦，與知與能也。

「不明乎善，不誠乎身」。朱子解明字，謂能密察人心天命之本然，而眞知至善之所在。密察，愼獨也。天理之本然，未發之中也。至善之所在，修道之教，皆以明人性之善也。眞知者，自性見也。非依賴他人而爲之也。

「誠者，天之道也」。周子曰：「誠無爲」(註七十六)。人知天道之無爲，而不知無爲即天之誠也。人知天之誠即無爲，而不知即天之所以爲命也。

(註七十五) 見孟子公孫丑章句上知言養氣章。
(註七十六) 見周子通書誠、幾、德第三。

「誠之者，人之道也」。何謂人之道？易曰：「繼之者，善也。成之者，性也」(註七十七)。繼何？天以陰陽五行，化生萬物，人亦如天以用其陰陽，人之繼善也。天之道，人有之也。繼善，即人能愼獨也。不善，則天之所以與我者我不知，我失天，失天與我之隱微，我不見也。不顯，即性不能成也。愼之至，愼到喜怒哀樂未發之中，則不獨我之性成也，並天之所以爲命者，我亦可與天以共有之也。「擇善而固執之者」，執何？人惟性惟善也。孔子三十而立，四十而不惑，其立、其不惑，皆性也。顏子得一善，則拳拳服膺而勿失，顏子之得善，亦即有得於一己之性也。

「博學、審問、愼思、明辨、篤行」，五者皆聖人修道之敎，學之、問之、思之、辨之、行之，性可率也。有弗學、弗問、弗思、弗辨、弗行，非修道之敎，而學之問之思之辨之行之，必亂吾心，而害吾性也。「愚必明，柔必強」，人旣見性，性具衆理，以應萬事，欲不明不強，不可得也。修道之敎，何以使人能若此而強明，朱子曰：「聖人因吾所固有者，而裁成之」(註七十八)。固有者，人之性也。後世荀子知尙學尙禮，而不解聖人之禮，係以人之性爲制定，禮行而欲其人不強不明而不可得。明道謂「荀子於聖人之學尙差一籌」(註七十九)者，此也。後世一切政治，不能使天下承平，禮之儀式失耶？失其所本也。其本亂，而末治者，否也。

或謂哀公旣得夫子言，而未能明強者，何也？哀公之時，禮敎散失，久矣。哀公前後左右，不能罔非正人，此篇外，小戴記儒行尙有所記，諸不能敵其聲色貨利之好也。

(註七十七) 見周易古註繫辭上卷七。
(註七十八) 語意見中庸首三句之朱熹句。
(註七十九) 語意見近思錄卷十四觀聖賢章各條。

孟子曰：「雖有天下易生之物也，一日暴之，十日寒之，未有能生者也」(註八十)。易曰：「蒙以養正，聖功也」(註八十一)。昔朱子嘗慨大學治平，千餘年未能實現，爰集小學一書，書首引列女傳紀文王之聖，由於太任能行胎教，夫人在胎中，耳目口鼻，似無所知覺，太任從何以爲教？然史特傳之，朱子獨深思之，而特採用之，其中含有天之所以爲命者在也。太任聖母也，其踐履胎教而生聖人文王也，大任行天之道，具足天命性於人之命也。夫誰知之，其誰知之！

人之聖有二，有生而知之者，有學而知之者。學知之道，亦有二，一明禮以達體也，一先體而後理也。二者皆殊途，而可同歸，理明體明，理之精處所在即體。體明理現，體之精處，即具衆理。

先明體者，從靜入手，俟靜裏有功夫，則古聖人制度文爲，自易明其本源所在，推之治理天下國家，必能善其所用。下章自誠明謂之性，誠則明矣，是也。

先明理者，從讀書入手，明古人制度文爲精義之所在，則古人之陳言，字字皆可作我性中注脚，此理精而我性見。下章自明誠謂之敎，明則誠矣，是也。

明必用思，洪範「思曰睿，睿作聖」(註八十二)，古詩書禮樂之源頭，思既至，則全理活躍於我心，而理明矣。誠必用定，大學「知止而后有定，定而后能靜，靜而后能安」，功到心無一物，則誠矣。誠之歸宿及作用，明著於經者，惟中庸說最詳。

此章孔子告哀公，用明則誠矣之法也。

(註八十) 見孟子告子章句上第九章。
(註八十一) 見周易古註卷一蒙卦彖辭。
(註八十二) 見尚書古註洪範卷七。

曰知人知天，天即我之性也。曰九經，曰五達道，所以行之者一，一即誠，誠即天命之性，亦可因我而見也。然如何使人得到知人知天，有以行達道九經，則又全在博學、審問、愼思、明辨四法，至篤行，則其理已有諸身，故以殿四者之後。此法也，是先告之以明理也。

而哀公卒不能行者，天生哀公，未命以性，無知仁勇耶？哀公畏人一己百，人十己千，功夫難做也。

或者曰：孔子何不告以誠則明矣之功夫，使哀公之誠立，而自知採擇五達道九經之法而行之乎？曰：知性知天之功夫，要從不睹不聞之中，用戒愼恐懼之法，戒懼一有不至，則意不誠，意不誠，則心之邪暗猶在，哀公聲不絕於耳，目不絕於色，口不絕於旨甘，肯作無聲無臭之功夫耶？

或者又曰：禮與樂，可使人自抵於天命之性，「周禮在魯」(註八十三)，哀公應早作明君。曰：「三家者以雍徹」(註八十四)，「季氏旅於泰山」(註八十五)，「周公其衰矣」(註八十六)。老子曰：「夫禮者，忠信之薄，而亂之首也」(註八十七)。其哀公時代之謂乎？今哀公之問，孔子之告，子思之言，引以繼堯舜文武周公之後，明禮樂之原，明古修道之教也。筆之於書以授孟子，亦待其人而後行也歟！

不跲、不困、不疚、不窮，即道之所由以達。前定，即定於未發之中。

(註八十三) 語意出春秋經傳古註卷二十昭公韓宣子來聘章。

(註八十四) 見論語八佾第二章。

(註八十五) 見論語八佾第五章

(註八十六) 見禮記古註卷七禮運。

(註八十七) 見老子本義第三十三章。

自誠明，謂之性。自明誠，謂之教。誠則明矣，明則誠矣。

右第二十一章

宋　朱熹曰：自，由也。德無不實，而明無不照者，聖人之德，所性而有者也，天道也。先明乎善，而後能實其善者，賢人之學，由教而入者也。誠則無不明矣，明則可以至於誠矣。

此章子思承上章，夫子天道人道之意，而立言也。自此以下十二章，皆子思之言，以反覆推明此章之意。

元　許謙曰：四明字不同，自誠明，言聖人有真實無妄之德，而照燭萬理，自然而明者。自明誠，言學者由明理而至於誠，用力而後明也。第三箇明字同。第四箇明字，與第二箇明字同。

清　劉沅曰：向來自此章以後，以天道人道分配到底，其理似通，而實於子思立言之意未得。蓋上章引夫子之言，趨重誠身，而誠身必由明善，猶是篇首不明不行—能擇能守之意也，引來指點後人，全重末二節。己百己千，雖愚必明，雖柔必強，乃全部中庸教人之本旨。故此章承上而言，夫子言誠身，必由明善，明善即可誠身。自其已誠而言，天性中自然之明睿，不待思勉。自其方明而言，學問中積，久之會心，無難純備。誠則明，明則誠，初無二理。下文即承言至誠之功，而教人以致曲之道，至於能化，則亦誠矣。其知可以如神，則明之至矣。

此章子思承夫子明善誠身之說，而推言之，誠與明，無二理，所以體中庸之道者，明善誠身，內外交修，以起下文也。

愚謂：

「自誠明，謂之性」。人由誠而能明者，誠之中，有天之所以爲命者在也。謂之曰性者，人之性，生於人之誠，誠即天之道。天之道，即天之所以爲命也。

「自明誠，謂之教」。明者先明其性之理，明之至，即誠之至。聖人修道之教，禮也樂也，使民日由之，備具天之所以爲者，故能使人自致其誠。

「誠則明，明則誠」。二語其塗雖殊，而千古聖人立教之宗旨，使人不失所性，皆不外此。誠有以立其性之體，明有以明其性之理。下凡十二章論誠字之功夫，即論命字之作用。

自誠明，功由內生。自明誠，功由外入。誠則明，其始也，不用耳目口鼻心思之知覺，外絕形影之所依，六門悄閉，淵精內謀，功頗難語人以率循也。自明誠，其法有禮樂爲之引導，有政刑爲之輔助，日用云爲見聞之所及，無不可使趨於正，不入於邪辟之途也。孟子曰：「以善養人，然後能服天下」（註八十八）。自外入，用善養人之法也。何謂善？人之性是也。何謂養？「民日遷善而不知爲之者」（註八十九）是也。修道之教，舍禮樂殆無以神其治化，天命人以性，先王因有禮樂之制，其代天立命，教化之大功，永垂不朽。

（註八十八）見孟子離婁章句下第十五章。

（註八十九）見孟盡心章句上第十三章。

唯天下至誠，為能盡其性。能盡其性，則能盡人之性。能盡人之性，則能盡物之性。能盡物之性，則可贊天地之化育。可以贊天地之化育，則可以與天地參矣。

右第二十二章

宋　程伊川曰：至於實理之極，則吾生之所固有者，不越乎是。吾生所有既一於理，則理之所有，皆吾性也。人受天地之中，其生也，具有天地之德，柔強昏明之質雖異，其心之所同者皆然。

特蔽有淺深，故別而爲昏明。稟有多寡，故分而爲強柔。至於理之所同然，雖聖愚有所不異。盡己之性，則天下之性皆然。故能盡人之性。

蔽有淺深，故爲昏明。蔽有開塞，故爲人物。稟有多寡，故爲強柔。稟有偏正，故爲人物。故物之性與人異者幾希。惟塞而不開，故知不若人之明。偏而不正，故才不若人之美。然人有近物之性也，物有近人之性者，亦係如此。

於人之性，開塞偏正無所不盡，則物之性，未有不能盡也。己也，人也，物也，莫不盡其性，則天地之化幾矣。故行其無事，順以養之而已。是所謂贊天地之化育。天地之化育，猶有所不及，必人贊之而後備，則天地非人不立。故人與天地，並立爲三才，此之謂天地參。

宋　朱熹曰：天下至誠，謂聖人之德之實，天下莫能加也。盡其性者，德無不實，故無人欲之私，而天命之在我者，察之由之，巨細精粗，無毫髮之不盡也。人物之性，

亦我之性，但以所賦形氣不同，而有異耳。能盡之者，謂知之無不明，而處之無不當也。贊，猶助也。與天地參，謂與天地並立而為三也。此自誠而明者之事也。此章言天道也。

清　劉沅曰：子思自天命之謂性章開端立言，中間反覆申言道字，於鬼神章逗出誠字，哀公章始說出誠身。此章乃指出盡性，為中庸血脈歸宿處。蓋祗此一理，在天曰命，在人曰性。言其至真無二曰誠，言其總括曰道，語其體用曰中和，語其平常曰中庸，本無二也。第其言淺深次第不得不然，學者當細玩之。

愚謂：

「唯天下至誠，為能盡其性」。至誠何？即上文大舜文武周公之謂也。盡性何？即舜之大孝周公制禮作樂之事也。聖人既盡己性，而必盡人性物性者，聖人因天予人以性，又畀以情，常人之情，其動不能不失所性，如何而人與物俱得遂其生成之性，扶翼教養，不能不有待於人也。張橫渠曰：「為天地立心，為生民立命，為往聖繼絕學，為萬世開太平」（註九十）。人不得未發之中則已，既得，則荷此仔肩，不能自已也。伊尹曰：「予天民之先覺者也，予將以斯道覺斯民也，非予覺之而誰也？思天下之民，匹夫匹婦，有不被堯舜之澤者，若已推而內之溝中，其自任以天下之重如此」（註九十一）。「可以贊天地之化育，可以與天地參」。至誠之所以為參贊者，禮與樂有代天為民立命之功

（註九十）見張子全書卷十四性理拾遺第三頁後版。
（註九十一）見孟子萬章章句上第七章。

能，修道之教，亦從禮樂之實在處，以深其參贊而已。

至誠能盡其性，盡性必由於至誠者，喜怒哀樂愛惡欲七者之中，一有不盡則不誠，不誠則去性遠，能至誠者，其心能歸宿於未發之中。誠既至，則天命之性我操之穩，洋溢充滿於內，人與天一也。人至此，不代天以成物，物猶有不成者，未之有也。盡人物之性，與天地參，參之盡之，雖在人在物，引之以同歸於天命之性，則一也。此章釋自誠明謂之性，以下行文，多贊頌體。

其次致曲，曲能有誠。誠則形，形則著，著則明，明則動，動則變，變則化，唯天下至誠為能化。

右第二十三章

宋　朱熹曰：其次，通大賢以下，凡誠有未至者而言也。致，推致也。曲，一偏也。形者，積中而發外。著，則又加顯矣。明，則又有光輝發越之盛也。動者，誠能動物。變者，物從而變。化，則又不知其所以然者。蓋人之性無不同，而氣則有異，故惟聖人能舉其性之全體而盡之，其次則必自其善端發見之偏，而悉推致之，以各造其極也。曲無不致，則德無不實，而形者動變之功，自不能已。積而至於能化，則其至誠之妙，亦不異於聖人矣。此章言人道也。

元　許謙曰：曲能有誠，一曲之誠也。誠則形，積眾曲之誠也。至誠，則與聖人之誠同。

曲能有誠一語，承上接下。致曲，是推至於極，知行兼舉。此句承上，則致曲而造其

朱子中庸章句

極。一曲之中，能有其誠。接下，則每曲若能有誠。則有下文之驗。

章句，善端發見之偏，不論事大小，但是心之自動，或因事之來，善意萌時，便從推之至乎其極。

善端發見，非獨謂必如見孺子入井，而惻隱發，然後就此致之。如欲行此事，便當就此事上致，事親必欲孝，事長必欲弟，足容必欲重，手容必欲恭皆是。蓋此致曲，兼知行言之也。

清　劉沅曰：此章乃切指求誠之功。致曲，即是擇善固執，學問思辨五者該焉，若擴充乃一端耳。五者之目，功若迂曲，故曰曲致。曲何以有誠？內而致中，外而致和，內外交修，動靜交養，有許多功夫在，故曰致曲。人身本有是天命之性，自氣拘物誘，喪其本來，則此身恰似虛殼，盡性而後此身爲實，故曰誠身。求誠者，由淺而深，凡身心之理，日用倫常實踐之事，一一體行，無不委曲詳盡，此非言語文字可盡也。子思故以曲字形容之，以致字該括之。

愚謂：

言致曲可能使人以有誠者，詳言修道謂教之法也。人無善惡，皆各有曲，不致其曲，則教無由入。孟子言齊王不忍一牛觳觫，謂是心足以王。是心，王之曲也。乍見孺子將入於井，皆有怵惕惻隱之心，乍見之心，亦人之曲也。伊川注易「樽酒、簋貳、用缶、納約自牖」(註九十二)。「自牖，謂就其明處，則言易入也」(註九十三)。牖，室之明，猶

(註九十二) 見周易坎卦六四爻辭。

人之曲也。「曲能有誠者」，誠有，則性可恢復，人人可聖域賢關，而爲惡之根斷也。故致曲爲立教之要則。

「唯天下至誠爲能化」。未到命字之功夫，化未可遽言也。至誠能化者，誠之至，即老子所謂「玄之又玄，衆妙之門」(註九十四)，「恍兮忽兮，其中有物，窈兮冥兮，其中有精」(註九十五)也。化非先化身外之物，先化一己之氣質。氣質化，即大學明德明。明德明，即能慮而能有得。得者，陰符經曰：「宇宙在乎手，萬化生乎身」(註九十六)。

形、著、明、動、此四字，皆誠之所生，層深一層，有此四字而後能生變化也。誠，即孟子「有諸己之謂信」(註九十七)。形，即「充實之謂美」(註九十八)。著，即「充實而有光輝之謂大」(註九十九)。明，即「大而化之之謂聖」(註一〇〇)。動，即「聖而不可知之謂神」(註一〇一)。橫渠曰：「聖不可知之謂神，唯神爲能變化，以其一天下之動也。人能知變化之道，其必知神之爲也」(註一〇二)。此等功夫，亦實行愼獨，愼之至，功抵於未發之中者，自能有之。

(註九十三) 伊川易傳之釋、見近思錄卷十。
(註九十四) 見老子道德經首章。
(註九十五) 見世界書局出版老子本義第十八章。
(註九十六) 見陰符經上篇。
(註九十七) 見孟子盡心章句下第二十四章。
(註九十八) 同上。
(註九十九) 同上。
(註一〇〇) 同上。
(註一〇一) 同上。
(註一〇二) 見中華書局出版張子全書卷二第十五頁。

人日順情爲徵逐，性日爲物蔽矣，然未嘗滅也。孟子曰：「雖有惡人，齊戒沐浴，則可以祀上帝」（註一〇三）。無他，三日齊，七日戒，則人可自致其曲也。曲致，則我之誠至，故可與神明交。推之太平天下亦無難事，惟在修道之教，有以啓發人人之曲，則其人必善日滋長，惡日自去。虞廷「敬敷五教」，「愼徽五典」（註一〇四）。放勳謂其司徒曰：「勞之來之，匡之直之，輔之翼之，使自得之」（註一〇五）。自得，亦人自致其曲也。子曰：「不憤不啓，不悱不發，舉一隅，不以三隅反，則不復也」（註一〇六）。憤悱，曲致也。舉一隅，致其曲也。不啓、不發、不復，待其曲之致也。孟子曰：「今人乍見孺子，將入於井，皆有怵惕惻隱之心」（註一〇七）。乍見之心，即曲致也。又齊宣王不忍以牛釁鐘（註一〇八），不忍之心，即齊王之曲致也。昔程子侍讀於君，見君盥而避蟻，不忍傷之，即爲暢言治民要道（註一〇九）。所謂致者，推而出之，使有以發揮而光大之也。形、著、明、動、變、化，切指一己氣質變化，兼外有諸人，至誠能化，先化一己之氣質，次化及天下人人之氣質。此章釋自明誠謂之教。

至誠之道，可以前知。國家將興，必有禎祥。國家將亡，必有妖孽。見乎

（註一〇三）見孟子離婁章句下第二十五章。
（註一〇四）兩句見尙書舜典。
（註一〇五）見孟子滕文公章句上第四章。
（註一〇六）見論語述而第八章。
（註一〇七）見孟子公孫丑章句上第五章。
（註一〇八）事見孟子梁惠王章句上第七章。
（註一〇九）見宋史、列傳、第一百六十八、道學一、程頤。

著龜，動乎四體，禍福將至，善，必先知之，不善，必先知之，故至誠如神。

右第二十四章

宋　朱熹曰：見，音現。禎祥者，福之兆。妖孽者，禍之萌。著，所以筮。龜，所以卜。四體，謂動作威儀之間，如執玉高卑，其容俯仰之類，凡此皆理之先見者也。然爲誠之至極，而無一毫私僞留於心目之間者，乃能有察其機焉。神、謂鬼神。此章言天道也。

元　許謙曰：妖孽，當作祆蠥，古字借用。說文：衣服歌謠之怪謂之祆。禽獸蟲蝗之怪謂之蠥。又草木謂之祆。

定公十五年春，邾隱公來朝，子貢觀焉。邾子執玉，高其容仰，公受玉，平其容俯。子貢曰，以禮觀之，二君者，皆有死亡焉。夫禮，死生存亡之體也。今正月相朝，而皆不度，心已亡矣。嘉事不體，何以能久。高仰，驕也。卑俯，替也。驕近亂，替近疾，君爲主，其先亡乎。夏、公薨，後八年，當哀公七年，魯伐邾，以邾子歸。子貢未爲至誠，然能以禮觀之，猶見如此，但借此事以證前知耳，則至誠前知可見矣。

此段係補充朱子「如執玉高卑其容俯仰之類」兩句之事實係出于左傳

清　劉沅曰：中庸之道本平常，而至神至奇，即在平常之中。緣此道本天之至理，天之不測，奚以加焉，而其實一理而矣。理宰乎氣，氣之變化，皆理之變化也。夫子繫易曰：「乾道變化，各正性命」。天地變化，草木蕃。

又曰：「知變化之道者，其知神之所爲乎」。天地萬古一理，而人實昧之。昧天之理，拂天之心，不知慎獨，不畏天命，由微至著，積小至大，舉世少完人，斯天罰亦隨降矣。奈人不知人道即天道，天心在我心。愚者求諸術數，智者矜其獨得，一切悖禮傷教，術法以興，至戰國時，異說多矣。子思故作此書，名曰中庸，而特示誠明合一之義，此章非教人驚異至誠，乃欲人勿外誠以求明也。

國家將興以下，即易見者，以明其然，禎祥妖孽，天亦何心，惟其人之自召而已。蓍龜無知，所以藉蓍龜而靈者神也。前人乃諱言神字，謂蓍龜無私心，故與天相接。夫草木鱗介之類，無私心者多矣，何獨蓍龜哉。動乎四體，四體皆聽命於天君，誠爲之分，天君存亡頓異。

故動乎四體者，顯然可見，禍福之來，必有其漸，人心之誠僞不同，積久而著，近在一身，遠徵於物，要皆由理欲而分，積累而盛，至誠天理純熟，故於修吉悖凶之事，能燭其微也。神者，造化之跡，雖無象可窺，而實森布於耳目之前，然其主宰運化，非有他也，誠而已矣。

至誠之誠，即天地之理，鬼神陰陽之靈。天地，即陰陽也。夫子曰：「陰陽不測之謂神」。「神也者，妙萬物而爲言」。至誠備天地之德，與鬼神合其吉凶，豈足異哉！自誠身之學罕傳，不知道者，既未識天命之原，方且離天命而二之，恍惚鬼神而外之，昧者從而矯焉，邪妄之術繁興，於是前知必歸神仙矣。

愚嘗言神仙即聖賢。聖而不可知之謂神，至誠如神，非即神仙乎？神仙之說，起於聖學不明，秦皇作俑，班固始爲九流之說，神仙爲一流，數千年來，求仙者流爲妄誕，闢仙者亦未究本原。

愚謂：

「至誠之道，可以前知」。前知之知，知在外者也，而所以為知，則在於內，事猶未形也。今日之事，非生於今日。今年之事，生於昔年。百年以後之事，胎孕於百年以前。惟至誠之人，本身有未形之功夫，以未形知有形。未形、本也。有形、末也。猶以燭照物，物影也，有燭有影，影不逃照，猶有形生於未形。有未形之體者，乃能悉見悉知。操照物之燭，握生物之本也。

「禍福將至，善必先知之，不善必先之」。易曰：「至誠與天地合其德，日月合其明，四時合其序，鬼神合其吉凶」(註一一0)也。「見乎蓍龜」。蓍龜之靈，不在蓍龜，因人有此靈，而後蓍龜靈，而受命如響也。

「動乎四體」，使之動者，己之氣也。吉凶悔吝生乎動，氣吉動吉，氣凶動凶，人原不自覺也。君子慎動，慎之於未發之中，則動罔不吉。

前知難乎？不難也。功到未發之中，則至誠之功夫到，誠之至，則人人可前知也。聖人之重前知者，重其能知禍知福，知善與不善之所由來也。

易乾卦九五曰：「飛龍在天，利見大人，何謂也？子曰：「同聲相應，同氣相求。水流濕，火就燥，雲從龍，風從虎，聖人作，而萬物睹。本乎天者親上，本乎地者親下，亦各從其類也」。類何？人之性也。人之從聖人，人率性也。其或不與聖人同類者，自性不具，未入於未發之中也。

易又曰：「大人者，與天地合其德，與日月合其明，與四時合其序，與鬼神合其吉凶，

(註一一0) 見周易首章乾卦文言。

先天而天勿違，後天而奉天時，天且勿違，而況於人乎！況於鬼神乎」(註一一)！大人爲合，即大人能發而皆中節也。大人之奉天時，勿違天時，即至誠之能前知也。至誠之能前知，即知天命之性而行率性之道也。人身有天時，而後能不與天違，能奉天時，此天人合一也。斯人也，不待見乎蓍龜，動乎四體，而無弗禎祥矣。

周易以天道教人，教人以身有其易，即教人以前知也。「伊尹爲天民之先覺者也，思天下之民，匹夫匹婦，有不被堯舜之澤者，若己推而內之溝中，其自任以天下之重如此」(註一二)。自任，即任之以性也。先覺，即前知也。故至誠如神，神生於至誠，至誠在人，即未發之中也。此章釋自誠明謂之性。

誠者，自成也，而道自道也。誠者，物之終始，不誠無物。是故君子誠之為貴。誠者，非自成己而已也，所以成物也。成己，仁也。成物，知也。性之德也。合外內之道也。故時措之宜也。

右第二十五章

宋　朱熹曰：道也之道，音導。言誠者，物之所以自誠。而道者，人之所當自行也。誠以心言，本也。道以理言，用也。解首兩句

天下之物，皆實理之所爲，故必得是理，然後有是物。所得之理既盡，則是物亦盡，而無有矣。故人之心，一有不實，則雖有所爲，而君子必以誠爲貴也。蓋人之心能無

此說不及劉沅之說為佳

(註一一) 見周易首章乾卦文言。
(註一二) 見孟子萬章句上第七章。

駁朱註

不實，乃爲有以自成，而道之在我者，亦無不行矣。**解誠者物之終始四句**

知，去聲。誠雖所以成己，然既有以自成，則自然及物，而道亦行於彼矣。仁者，體之存。知者，用之發。是皆吾性之固有，而無內外之殊。既得於己，則是於事者以時措之，而皆得其宜也。**解末段此章言人道也**

清　劉沅曰：首節二自字最重要，是子思特揭以教人處。蓋上文化也，如神也，似誠不可測度也。然其實乃自身實理，故緊接誠者自成也，言無一毫外鑠。而字，順遞而下。道，即中庸之道。言誠者所以自成，而以此理施諸事物，則爲道。道者，不過率性而已。自有此理，率性而發，如大路然，自行大路，非有一毫外鑠，故爲自道。身外無道，正以身外無誠也。

次節申言物莫外於誠，益見誠身爲切。末節又言誠以成己，即以成物。仁知一理，內外一原，皆性中自有之德。

通章三提誠者，將道也、德也，仁也，總歸入誠字，而曰性之德，則直接入首章天命之謂性數句矣。文法之密，祇緣義理本是一串，奈何拘滯求之。

時解實心實理，諸說紛紛，可爲噴飯。誠者，天之實理，即天之實心。人得天之實理，即當體天之實心。三誠者，止是一誠者，特語氣相承，所指略有分別耳。重首節二句。下二節皆推明其義，自成自道，謂首句懸空說，該物其中，下乃貼人者，非。謂誠以心言，體也。道以理言，用也。尤誤。誠者，心之實理，體用可以動靜而分，不可以心理而析。

子思前言中庸之道費隱，因引夫子言誠身，漸乃說到誠字。又因夫子明善誠身之說，先申明誠明一致之理。

此章乃揭出誠者自成也，責備人自家承當，一理也。實備於身則曰誠，本誠而行之則爲道。誠即道，道即誠。自成自道，教人自盡其功，非誠與道有二也。

通章只是喫緊教人自成，收束上四章，起下故至誠無息數章。

愚謂：

「誠者，自成也，而道、自道也」。自成何？成其慎獨之功夫，功到喜怒哀樂未發之中，則一己之誠成。自道何？道備於己，功夫在慎獨，慎到一己之身上，能須臾不離，身有道義之門，則發而皆中節也。

「不誠無物」。此物生於喜怒哀樂未發之中也。人無未發之中，則無以贊天地之化育，我之性猶有未盡，則無以盡人物之性。大學曰：「在止於至善」。此物即人之至善也。大學之至善，生於定靜安，定靜安，即人之至誠也。謂修道之教，即爲天下之人明其明德也，即爲天下之人修得此物也，謂天下之物，皆我可生之物也。孟子曰：「萬物皆備於我，反身而誠，樂莫大焉」(註一一三)。孟子之誠，即成此物也。

「時措之宜」。措之於物，物無不化；措之於人，人無不賢。孔子聖之時，集大成，學而時習之，亦集之習之以未發之中而已。聖賢之學業無他，在有體。有體則有用。聖賢之用，無不出自本己之體也。

「誠者，物之終始」，終、猶物之氣歸根也。始、猶氣之至而物生也。惟能誠能操萬

(註一一三) 見孟子盡心章句上第四章。

物終始之權也。不曰物之始終，而曰終始者，始生於終，終美則始乃善也。老子「有生於無」(註一一四)，易、貞下起元，貞即終也。「先王以至日閉關，商旅不行，后不省方」(註一一五)。終之之謂也。濂溪「無極而太極」(註一一六)，即以物之終言也。「不誠無物」者，「無名天地之始」(註一一七)，天地猶產於無名，無名即人之至誠，人無至誠，則無天地之終，無天地之終，則無以代天地而生物也。

兩物字，一以內言，一以外言，下文說「成己，仁也」，以內言也。「成物，知也」，以外言也。仁居五常之首，言成仁，即立內之五常也。言成物，即人代天以生物也。兩者同出於性，故曰「性之德，時措之宜」，即率性之道，動容周旋中禮，不勉而中，不思而得也。

不得時措之宜者，人之私欲，有以間之，未發之中未得也。得則「宇宙在乎手，萬法生乎身」(註一一八)。子曰：「學而時習之，不亦說乎」。程子曰：「說在心，時習心說」(註一一九)。成己、仁也。「有朋自遠方來，不亦樂乎」。程子曰：「樂主發散在外，朋來樂至」。成物、知也。此章釋自明誠謂之教。

故至誠無息，不息則久。久則徵，徵則悠遠。悠遠則博厚，博厚則高明。

(註一一四) 見老子本義第三十四章。
(註一一五) 見周易復卦大象辭。
(註一一六) 見周子太極圖說。
(註一一七) 見老子本義首章。
(註一一八) 見陰符經上篇。
(註一一九) 語意見四書集註學而首章註。

博厚，所以載物也。高明，所以覆物也。悠久，所以成物也。博厚配地，高明配天，悠久無疆。如此者，不見而章，不動而變，無為而成。天地之道，可一言而盡也。其為物不貳，則其生物不測。天地之道，博也，厚也，高也，明也，悠也，久也。今夫天，斯昭昭之多，及其無窮也，日月星辰繫焉，萬物覆焉。今夫地，一撮土之多，及其廣厚，載華嶽而不重，振河海而不洩，萬物載焉。今夫山，一卷石之多，及其廣大，草木生之，禽獸居之，寶藏興焉。今夫水，一勺之多，及其不測，黿鼉蛟龍魚鱉生焉，貨財殖焉。詩云：「維天之命，於穆不已」。蓋曰：天之所以為天地也，「於乎不顯，文王之德之純」。蓋曰：文王之所以為文也，純亦不已。

右第二十六章

宋　朱熹曰：既無虛假，自無間斷。**解首句**久，常於中也。徵，驗於外也。**解不及則久兩句** 此皆以其驗於外者言之，鄭氏所謂至誠之德，著於四方者是也。存諸中者既久，則驗於外者，益悠遠而無窮矣。悠遠，故其積也，廣博而深厚。博厚，故其發也，高大而光明。**解徵則悠遠至博厚則高明** 悠久，即悠遠，兼內外而言之也。本以悠遠致厚，而高厚又悠久也。此言聖人與天地同用。**解博厚所以載物至所以成物** 此言聖人與天地同體。**解博厚配地三句** 見，音現。見，猶示也。不見而章，以配地而言也。不動而變，以配天而言也。無爲而成，以無疆而言也。**解如此者不見而章三句** 此以下，復以天地明至誠無息之功用，天地之道，可一言而盡，不過曰誠而已。不貳，所以誠也。誠故不息，而生物之多，有莫知其所以然者。**解天地之道至生物不測** 言天地之道，誠一不二，故能各極其盛，而有下文生物之功。**解天地之道博也七句** 夫，音扶。華藏，並去聲。卷，平聲。昭昭，猶耿耿，小明也。此指其一處言之。及其無窮，猶十二章，及其至也之意，蓋舉全體而言也。振，收也。卷，區也。此四條，皆以發明由其不二不息，以致盛大而能生物之意。然天地山川，實非由積累而後大，讀者不以辭害意可也。**解今夫天至貨財殖焉** 於，音烏。乎，音呼。詩，周頌維天之命篇。於，歎辭。穆，深遠也。不顯，猶言豈不顯也。純，純一不雜也。引此以明至誠無息之意。程子曰：天道不已，文王純於天道，亦不已。純則無二，無雜不已，則無間斷先後。此章言天道也。

元　許謙曰：此章言聖人久於其道，昭著于外，人可見者如此。至誠積於中者久，則徵驗於外者，自然悠遠而無窮。悠遠則自博厚，博厚則自高明。蓋所積者廣博，則其勢自然高大。所積者深，則其精自然光明。此兩句是呂氏之意，朱子以爲甚善。

聖人之道，博厚高明而已。金聲玉振，所過者化，宮牆數仞，博厚之類也。精義入神，所存者神，天不可階，高明之類也。

字養其民，聖人載物之類也。教化其下，聖人覆物之類也。垂範作則，利及萬世，皆悠久成物之事也。

不見，不動，只是言聖人無爲。下句總上二句，地未嘗有意生物，而百穀草木禽獸昆蟲，皆粲然可觀，是不見而章也。天未嘗有意變化萬物，而有生之類，皆稟命於天，

五章，即廿一至廿五、共五章

是不動而變也。

自「無爲而成」以上，是形容聖人之德。「天地之道」以下，至「貨財殖焉」，是形天地之大。觀天地山海，皆積而後大，足以見聖人之德，亦積而後盛。引詩則以天比聖人之德，天與聖人只是箇「不已」，應前至誠無息。

天地山川，非積累而大，聖人生知安行，其德亦非積累而盛。故章句謂讀者不以辭害意，是聖人之德，悠久而自昭著，非謂始微而後著也，是專就聖德功效處言之，是固然也。然帝堯自「明俊德」，以至于「民變時雍」，豈無次第之序？孔子自謂「志于學」，至於「從欲不踰距」，豈無造詣之漸？由是觀之，則子思四「及其」之言，亦甚精密，豈無意也。

清　劉沅曰：上文勉人自成，自成則爲至誠矣。此章乃極言至誠之功用，合乎天地，以終自誠明下五章之義。

清　楊名時曰：天地之誠，發於氣象，積於形質，昭昭撮土，其見端也。在人則性情呈露之緒，日用云爲之迹，隨時隨處而有者是已。天地聖人全體皆然，無少間斷。故外之所發所積，亦無少間斷。就一處觀之而然，極之處處無不然。就一時言之而然，極之時時無不然。與其本體之渾然完具者相符驗，所謂不二不息之徵也。

日月星辰，華嶽河海，則天地生物之具。猶聖人之禮樂文章井田學校，爲仁天下之具，皆不二不息之發爲高明，積爲博厚者爲之也。是以求誠者，必盡致曲之功。如一處惻隱，一事慈祥，推之處處事事皆然。一時惻隱慈祥，推之時時無不然。至於無少間斷，則全體渾然，內外一致，而與聖人天地同矣。

昭昭之多，及其無窮，撮土之多，極其廣厚，即天地之高明博厚處，指點出爲物不貳，以發明至誠無息、內外合一之符。教人體認擴充自發見之端，一簣之積，推而極之以希聖之純，法天之健，指趣深長，義蘊宏遠。

愚謂：

發揮命字之功夫，極爲詳盡。「至誠無息」，無息，以氣言也，非形也。孟子養浩然之氣，其氣塞乎天地之間。天地之大，人之氣可充滿也，其故何也？原人之氣，與天同此氣也。易所謂「同氣相求」(註一一二)也。至誠而能有此不息之氣者，至誠之氣，即生之以至誠也。天有至誠，運行不息。人有至誠，則人可配天。天人之間，聖人無間隔，此聖人所謂有法天之學也。聖人法天，即以至誠法之而已，法之以至誠，即法天之所以爲命也。

「如此者不見而章，不動而變，無爲而成」。如此者三字，指上文載物覆物成物配天配地而言，天之爲章爲變爲成，出於不見不動無爲。其不見不動無爲。即天之所以爲命。人從此等處得之，而自己之性得賴以章以變以成也。有見有動有爲，而不章不變不成者，其爲見爲動爲爲，皆人之欲也。欲在人，不滅去，即不能至誠也。

濂溪謂「無極之真，二五之精，妙合而凝」(註一一三)。其爲合也，凝也，妙也，即不見不動無爲也，即人極所由以立也，無他，即立之以至誠也。妙合而凝，即至誠之功夫也。

(註一一二) 見周易乾卦文言。
(註一一三) 見周子太極圖書。

就上文第八章天下國家可均，爵祿可辭，白刃可蹈，中庸不可能。不可能，即未發之中，其功夫之深處，不可睹不可動不可爲也。王陽明曰：「兩目灰塵，固不可入，即玉屑之美者，亦不可入，入則目不見物」(註一二三)。此喻無他，即用功時，加一分可能，即有爲，即誠不至也。

第十二章，「及其至也，雖聖人亦有所不知焉，有所不能焉」，聖人之不知不能，即聖人之不見不動無爲也，即聖人之能至誠也。聖人之至誠，即聖人得天之所以爲命，而天道，不僅在天，而分在聖人也。

「爲物不貳，則其生物不測」。不貳何？在人即慎獨，慎到喜怒哀樂未發之中，慎之至乃不貳也。不貳，即至誠也。不貳之功夫，即天也。人法之，人即得天之所以爲命也。人得不貳之功夫，建諸天地，又即天之生物不測也。

今夫天一節，恐人不知不貳之功夫，生物之盛大，故就其顯而易見者指證之，曰「昭昭之多」，曰「一撮土之多」，曰「一卷石之多」，曰「一勺之多」，原欲舉天地之盛大者以言之，而先即細小者言之者，謂大皆孕育於小，小不可忽，即莫見乎隱，莫顯乎微之意也。至誠之功夫，做到能位天地，育萬物，皆成之於至小也。

末引詩「維天之命，於穆不已」，於穆何？即天爲命之氣象也。人能至誠，人即能於穆。不已，即不息，不息，即四時行，百物生之謂也。「於乎不顯，文王之德之純」，文王純，亦純以天之於穆，不求顯而自顯，其顯即天之生物不測也。

此章重在爲物不貳一句。博厚、高明、悠久，天地之道，皆自此創出，不貳在人，即

(註一二三) 見世界書局出版王陽明傳習錄卷三第八一頁。

喜怒哀樂未發之中也。老子曰：「有物混成，先天地生，寂兮寥兮，獨立而不改，周行而不殆，可爲天下母」(註二二四)。老子之有物，即此物也。寂兮寥兮，即不貳也。曰爲天下母，即生物不測也。說天地山川之大，以昭昭、撮土、卷石、一勺之小者言之，何也？人求天地萬物之所以然，不可以其大而昧其小，小者物之來源也。莫見乎隱，莫顯乎微，君子之慎獨，慎在不見不聞，慎其小也。小之至，即可進入於未發之中也。而不見、不動、無爲，又即不貳之功夫所在，求未發之功夫，不外此也。維天之命，於穆不已。於穆，即不貳。文王之德之純，文王之德，出於於穆。於穆，不貳之景象，又即未發之中也。文王之所以爲文，文王之文，出於於穆也。三分天下，以服事殷，文王不自有其天下，而文王之文，已遍及當時之天下，文王之文，從何而來，由於於穆也。文王之於穆，即文王之不貳，即文王有未發之中也。

右第二十七章

大哉聖人之道，洋洋乎，發育萬物，峻極于天，優優大哉。禮儀三百，威儀三千，待其人而後行。故曰：苟不至德，至道不凝焉。故君子尊德性而道問學，致廣大而盡精微，極高明而道中庸，溫故而知新，敦厚以崇禮。是故居上不驕，為下不倍。國有道，其言足以興，國無道，其默足以容。詩曰：「既明且哲，以保其身」。其此之謂與。

(註二二四) 見老子本義第二十一章。

宋　朱熹曰：包下兩節而言。**解首句**　峻，高大也。此言道之極於至大而無外也。**解洋洋乎三句**　優優，充足有餘之意。禮義，經禮也。威儀，曲禮也。此言道之入於至小而無間也。**解優優大哉三句**　待其人而後行，總結上兩節。至德，謂其人。至道，指上兩節而言也。凝，聚也，成也。**解苟不至德兩句**　尊者，恭敬奉持之意。德性者，吾所受於天之正理。道，由也。溫，猶燖溫之溫，謂故學之矣，復時習之也。敦，加厚也。尊德性，所以存心，而極乎道體之大也。道問學，所以致知，而盡乎道體之細也。二者，修德凝道之大端也。不以一毫私意自蔽，不以一毫私欲自累，涵泳乎其所已知，敦篤乎其所已能，此皆存心之屬也。析理，則不使有毫釐之差。處世，則不使有過不及之謬。理義，則日知其所未知。節文，則日謹其所未謹。此皆致知之屬也。蓋非存心，無以致知。而存心者，又不可以不致知。故此五句，大小相資，首尾相應，聖賢所示入德之方，莫詳於此，學者宜盡心焉。**解尊德性五句**　倍與背同。與，平聲。興，謂興起在位也。詩，大雅烝民之篇。此章言人道也。

清　楊名時曰：尊德性爲存心，此即居教涵養之謂，故在道問學之前，即敬爲知行之基也。

夫子屢言涵養之事，如重威，忠信、默識、修德、出門使民等語，即是要學者存所謂一。一者，即天命之性，天下之大本。然夫子總不提破此是性體，其告曾子子貢，只說箇一以貫之便住，更不申說一字著落，蓋道理只用存之於心，便是真得，本不談提破也，中庸方闡發生來。

清　劉沅曰：尊德性節，前人分存心致知兩項平說，似便於初學，而實未合真正語氣。

前人即朱子

且存心二字，該括不得身中義理。上文明言德性，性之一字，天也，人也，一以貫之，性具於心。而心有人心道心。就聖人言，其心即性，所謂純乎先天義理之心，即純乎天命之性也。就學者言，則未能純乎天性，故須存養擴充。

第言存心，何可以云尊德性也。孟子云：存其心，養其性，所以事天也。孔子亦云：回也，其心三月不違仁。存有覺之心，養虛明之性，有許多功夫次第，前人得禪家守空之法，天資優者，靜養此心，不久即覺空明不昧，亦可以建功業，出人群，而非克己復禮之全功。佛家自數傳以後，僅得其偏，海巖和尚以授濂溪，程朱衍之，謂爲聖學之全。同時陸象山，及後王陽明，其言性學皆如此。但陸王教人先存心，朱子教人先窮理，門人各師其傳，遂分出一禪一儒。

其實本原心性之分，均未透徹，是以按之孔孟不符。今若再避忌不言，將守心而不能神化，孔孟之學，但得其彷彿，以之修己治人，必留缺憾，予所以屢爲剖析之也。

性含於中，萬理無不該。性著於倫，萬物無弗具。尊德性以養其體，道問學以博其用。內外交修，本末一貫。尊德性有許多功夫次第，若孟子所謂善、信、美、大、聖、神，循序深造，非空存一虛靈之心可了。道問學，亦有許多功夫次第，若上文所謂博學，審問，慎思，明辨，篤行。二者均有知行並進功夫，無論內而性命，外而倫常，知之即行，行必先知，故所謂廣大、高明、精微。中庸特舉兩相形而易偏者，以狀其功之細密，而豈謂存心致知而已哉。且言心而遺性，言知而遺行，於子思本意太遠。

「居上不驕」，君如堯舜禹湯，功業巍煥，然仍不矜不伐，自視欿然，以爲性之所宜然，職分之所當盡，且留憾甚多，驕何有也。相如伊尹周公，罔以寵利自居，恒以吐

握爲急，亦無毫髮自滿之心。

「爲下不倍」，非僅如愚民順則之意。蓋從來懷才抱德之士，急於自見，或不得志，即勉爲蠖伏，常不免慍意。或人濁我淸，崖岸之跡不化，鄙夷之見時生。惟聖人道大德全，不以有位爲榮，亦不以困窮而絀。既爲下矣，疏水自樂，嘯歌自如。未嘗謂我德如天，時俗不足爲伍。太公渭濱，阿衡莘野，由是以樂堯舜之道。桀紂之虐，曷嘗足以相累，即不遇湯文，豈不快然無求乎。

後世漢唐宋明，正人君子，橫罹荼毒，雖由小人誣陷，而或標名譽，或炫材能，其至純正者，猶不免以古禮繩人，非時而出。以此觀之，爲下不倍，非孔顏陋巷，不足語如斯也。此二句大概說，下二句申言之，重二足以字，言非有倖進苟合之行也。言足以興，不必上書陳言，如後世策論帖括，有道之世，朝野多正人君子，言皆合道。發邇見遠，舜一鰥夫，師錫帝廷。說由版築，登於輔弼。曷嘗有一毫枉道干時。

默足以容，亦非模稜首鼠，曲學阿世，危行言遜，直躬而行，道足自娛，不妄言議。

夫子繫易曰：『尺蠖之屈，以求伸也。龍蛇之蟄，以藏身也。精義入神，以致用也。利用安身，以崇德也』。此數語默足以容之義也。

故引詩及之曰：『既明且哲，以保其身』。明則無所不照，哲則神化無方，非僅如舊說明於理哲於事云云也。保身非第保全軀命，或窮或達，時中因應，在上則道足濟世，即危疑如伊周，未嘗不保身，皐夔稷契，不待言矣。在下則道可自全，即患難於陳蔡，未嘗不保身，琴書詠歌，亦不待言矣。引詩雙結上文，不單承無道，知進退存亡而不失其正。明哲二字，具潛見飛躍之妙用。夫子繫易，惟乾卦六爻，取象於龍，正以聖人之德，始克當明哲保身之義，而一節之士，不足與於斯。蓋詩言甚淺，而子思引之之義，則甚大也。

朱子謂明哲是順理而行，自然無災。今人以邪心讀詩，謂明哲是先占便宜。如楊雄云：『明哲煌煌，旁燭無疆，遜於不虞，以保天命』。便是占便宜說話。朱子意似專承默足以容說，又曰明哲保身是常法。若舍身取義處，又不如論，此說自好，但中庸是言聖人之道，行藏有定，顯晦隨時。果其時足有爲，道濟天下，始出應時。否則卷而懷之，道足自樂，尤足自全，故爲中庸一大結束。

若殺身成仁一種，非本章之義，且殺身成仁，亦有兩種，不可盡以爲聖人分上事。比干誼親位尊，進諫乃其本分，死則所不及料。然不幸而死，亦於心無愧，故孔子以爲仁人。比干既死微箕雖親，義不必諫，佯狂受辱，夫子以爲內難而能正其志。古今以來，如比干親貴之遇，有幾人哉！

君子抱道在躬，相時而動，苟不足以道濟時，決不肯與人家國，以道進退，明哲保身，自在其中，非外此別有占便宜之法也。故聖人而殺身成仁，僅僅一二人耳。下此無聖人之才，非貴戚之卿，但既受人爵祿，義無苟免，不幸遇難，惟有成仁取義。然苟以聖人之道衡之，則當其進身之始，必有慎之於先者矣。故此一等仁人，非可與聖人並論。伊尹樂道躬畊，孔明無心聞達，因三聘而幡然，以其求我至切，必知我甚真，故應聘而出，行道濟時，即再世之後，放桐托孤，倚任甚重，終成大業。若二人有輕身仕進之心，安能使庸主傾心，免於禍患哉？

至於文王之羑里，湯之夏臺，舜之井廩，周公之流言，禍患起於骨肉大倫之間。然數聖人依道而行，不改其常，卒能全身。

故此章所言明哲，爲聖人分上事，稍次一輩，即未可同語。殺身成仁，非可訾也。但中庸以全德教人，謂盡人合天，天德在人。故結之如此，未暇說到殺身成仁一輩去。朱子恐人趨避情生，言此以防流弊，而未剖出所以殺身成仁之故，徒見其詞與正文相反，而不合章旨矣，故詳辨之。

且殺身成仁，君子不幸之遭，士人出處必慎，正爲大義不可苟耳。若不審於去就，決於幾先，及至決裂，殺身不悔，雖優於苟位慕祿之流，豈得爲聖人之道哉！

孔子皇皇救世，接淅而行，其繫易也，首明亢龍之義，深贊潛龍之德，而介石之爻，則曰君子見幾而作，不俟終日，莫非明哲之意。若其道未可行，而輕進受祿，本原既非，殺身亦爲末節，或本圖祿仕，而臨難苟免，天良澌滅，斯保身亦非人群，此中精義之學，非誠身不能洞然，子思故於修德凝道之君子，始信之若是也」(註一二八)。

愚按：此解從是故二字領取虛神，頗有發明。

愚謂：

「大哉聖人之道，洋洋乎，發育萬物，峻極于天」。聖人之道，何道也？能育物也，育物而能峻極于天也人。聖人何以要代天發育萬物也？天既命人以性，聖人不忍人物失所性，禮樂之制所由設也。周禮：「樂奏而天神格，地祇享」(註一二五)。通天地神明也，

(註一二八) 見槐軒全書劉沅四書恆解中庸卷下、晚年定本、光緒十年、豫誠堂鐫本第一一〇—一一四頁。

(註一二五) 見十三經古註周禮卷二十二宗伯禮官之職第七頁。

樂以天之元氣，禮以天之天理，禮樂行，則人間之正理正氣行，天之所以爲命者，不在天上，而流行在人間，人可代天以爲命。

「禮儀三百，威儀三千」，有禮儀易，有威儀難，威儀發於人身之自然，非勉強造作而能爲之也，人身得氣之美惡，皆於此著也。此氣，非功到未發之中，不能有也。至德凝至道，何謂至德？出於未發之中也。何謂至道？禮與樂也。不能有至德，無未發之中也。不能有至道，無達到之和也。

「故君子尊德行」一節，其爲尊以君子言者，君子先有未發之中，得爲尊之實，其所尊即發而皆中節，爲達道於天下也。尊何？禮樂是也。禮樂尊，則德性不尊而自尊也。

「尊德性」，立其體也。「道問學」，禮樂修明，則民生日用彝倫，皆有準則，「道問學」，致其用也。以下四句之義，皆從此二句生出，此二句，可爲下四句之提綱讀之可也。

「致廣大」，禮樂以天之爲命者制定之，廣大莫外於禮樂也。致之者，行其禮樂也。

「盡精微」，盡人之性也。精微不盡，功夫未誠，性不見也。禮樂能使人人入於精微，禮樂、本人之性而制定之，惟性、爲人之精微所在也。

「極高明」，高明配天，禮樂之原，來自天地。極之者，索其原，不徒有其形式也。

「道中庸」，禮以以人生日用云爲冠昏喪祭，人生不可須臾離者制定之，道之則中而不偏，庸而不易也。「溫故而知新」，故，人之性也。孟子曰：「天下之言性也，則故而已」(註一二六)。溫，熟其功夫，則人人有以復其初，而禮樂之本原不昧失。知新，因

(註一二六) 見孟子離婁章句下第二十五章。

時制宜，禮樂有損有益，知之眞，則發而皆中節也。

「敦厚以崇禮」。禮崇則世可長治久安。敦厚則「玄之又玄，衆妙之門」(註一一七)，人人可有諸己也。

繼上章天地生物不測，再以聖人之能代天者言之。聖人操何術而能峻極於天耶？禮儀三百，威儀三千，聖人知天地之所以爲天地，特模仿天地之生物而已，而制之於禮儀也。尊德性也，人由禮樂行，而後有以尊之也。致廣大也，禮樂極天地之所能，禮樂行而後有以致之也。極高明也，禮樂爲天地所不能外，禮樂備，而後天道有以極之也。尊之、致之、極之，雖人爲之，而使之尊，不責以致，不責以極，而能無不致無不極者，則惟禮樂爲制之妙，而有以致之也。

聖人知太平之道有所在，思以推及於天下後世，如是有禮樂之設，爲學問以道，則天下人人有共尊之路也。極其精微以盡之，則人人有共至之實也。不越中庸之道以導之。如是愚夫愚婦，可與知與能也。溫故者，尋繹於戒愼恐懼之功夫也。故者，天命之性也。天不變，民之性不變，故曰故。孟子曰：「天下之言性也，則故而已」(註一一九)。知新者，道本無新舊之可言，知之者，民自去其舊染之污，民之性復也。敦厚以崇禮，禮也者，天理之節文，崇禮，即崇天命之性，民於禮敦厚，則民性不亂，國脈亦因而久長。

德性、廣大、高明，以立體言。問學、精微、中庸，以致用言。待其人而後行，其人

(註一一七) 語出老子道德經首章。

(註一一九) 見孟子離婁章句下第二十五章。

即修喜怒哀樂未發而能有其中之人也。苟不至德，至道不凝。至德何？即未發之中。至道何？即禮樂。凝何？凝之於修道之教，教、使民長有未發之中也。此上二章，釋自明誠謂之教。

子曰：「愚而好自用，賤而好自專，生乎今之世，反古之道，如此者，烖及其身者也」。非天子，不議禮，不制度，不考文。今天下，車同軌，書同文，行同倫。雖有其位，苟無其德，不敢作禮樂焉。雖有其德，苟無其位，亦不敢作禮樂焉。子曰：「吾說夏禮，杞不足徵也。吾學殷禮，有宋存焉。吾學周禮，今用之，吾從周」。

右第二十八章

宋　朱熹曰：好，去聲。烖，古災字。以上孔子之言，子思引之。反，復也。**解首七句** 此以下，子思之言。禮，親疏貴賤，相接之體也。度，品制。文，書名。**解非天子至不考文** 行，去聲。今，子思自謂當時也。軌，轍迹之度。倫，次序之體。三者皆同，言天下一統也。**解今天下至行同倫四句**鄭氏曰：言作禮樂者，必聖人在天下之位。**解雖有其位至不敢作禮樂焉** 此又引孔子之言。杞，夏之後。徵，證也。宋，殷之後。三代之禮，孔子皆嘗學之，而能言其意。但夏禮既不可考證，殷禮雖存，又非當世之法。惟周禮，仍時王之制，今日所用，孔子既不得位，則從周而已。此章從上章爲下不倍而言，亦人道也。

元　許謙曰：車輪行於地，有跡謂之轍。兩轍中間相去闊狹之度謂之軌。古者車軌，皆闊六尺六寸。

夏禮曰說，殷禮曰學，蓋孔子殷人也，中庸所記聖言，過於論語之精。

清　劉沅曰：書肇於黃帝鳥跡蟲書，其來已久，唐虞三代皆因之。周宣王時，太史籀造篆以誨童學，後人以名稱書，謂之曰籀文。秦李斯既作小篆，則以籀書爲大篆。象形等六義，自古已然，八體六體，名目起於秦漢。古時文不易同，以字體繁重，又書竹木，互相摹寫，易於僞謬。禹鼎宣碑大事，則以金鑄之，餘不能然，故考文爲要事。禮以正倫。周衰禮多散亂，而大致尚存，故言同倫。子思時，非無弒逆爭悖，而言同倫，舉其多者論之，不以反常者爲訓也。

愚謂：

此章深慨禮崩樂壞，欲行而不能，亦上章待其人而後行之之意也。

「愚而好自用，賤而好自專」，何謂愚？不知本己之有性，不用功夫於未發之中，不解自己之有性性之爲用大也。何謂賤？不明性可與天平等，無貴賤之別也，而反於至賤者以自專之，則不得率性之道，發而不能中節也。「生乎今之世，反古之道，如此者烖及其身者也」。古何？人之性也。反古，則民性復也。民復其性，天下所由以王矣，而云有烖及身者何也？以愚以賤，無其位而爲反，反非其人非其時也。此修道之敎不能立，聖人亦無可奈何者也。

「非天子不議禮，不制度，不考文」。禮也度也文也，尚待議之制之考之者，聖人盱衡當世，不能概以舊所有而推行之也。因地制宜，因時制宜，設不與民率性，以至於

道，則禮樂或以病民也，當年制作禮樂之聖人，徒在禮樂之形式耶？在禮樂之精神，可使民以率性也。禮樂行天下原可承平，然無位則亦無以致之於民。子曰：「吾說夏禮，杞不足徵也」，不足徵何？人無喜怒哀樂未發之中，無推行禮樂之實也。「吾學殷禮，有宋存焉」。宋之國號雖存，而禮樂之亡，亦已久矣。「吾學周禮，今用之吾從周」。用之從之，一人之事耶？於天下之無禮何？周公制禮之精神，能使天下太平，今亦不復見矣。此章於禮樂，聖人徒具感傷之重也。

兩引孔子之言，傷禮樂之教不修，太平何由而作也。說夏禮，學殷禮，學周禮，禮爲三代聖人建國之寶，孔子徒說之學之，身有之而已乎？「非天子不議禮，不制度，不考文」，望時王有以議之制之考之，及時修復禮樂，東周可復興也。禮樂之興，及今不可無損益，何宜損，何宜益，非議之制之考之不可也。「有其位，無其德，不敢作禮樂焉」。不至德，至道不凝也。「有其德，無其位，不敢作禮樂」者，愚不可好自用，賤不可好自專也。於後春秋之作，寄王於魯，因周禮猶在魯也。非王魯，謂魯之禮可王天下也。

杜預曰：「聖人一褒一貶，悉以周之舊典行之」(註一三〇)。舊典，禮也。孝經緯鉤命決曰：「吾志在春秋，行在孝經」(註一三一)。志春秋，志禮也。郁郁乎文哉，吾從周也。行孝經，「先王有至德要道，以順天下，民用和睦，上下無怨」(註一三二)。「安上治民，莫善於禮，

(註一三〇) 語意見春秋經傳集解序。
(註一三一) 見十三經注疏孝經序邢昺疏。
(註一三二) 見孝經首章。

移風易俗，莫善於樂」（註一三三）。惟禮樂可使民率性也。此章釋自明誠謂之教。明之之道，專在禮樂。明禮樂，則人人有未發之中。

王天下有三重焉，其寡過矣乎。上焉者，雖善無徵，無徵不信，不信民弗從。下焉者，雖善不尊，不尊不信，不信民弗從。故君子之道，本諸身，徵諸庶民，考諸三王而不繆，建諸天地而不悖，質諸鬼神而無疑，百世以俟聖人而不惑。質諸鬼神而無疑，知天也。百世以俟聖人而不惑，知人也。是故君子動而世為天下道，行而世為天下法，言而世為天下則。遠之則有望，近之則不厭。詩曰：「在彼無惡，在此無射，庶幾夙夜，以永終譽」。君子未有不如此，而蚤有譽於天下者也。

右第二十九章

宋 朱熹曰：王，去聲。呂氏曰：三重，謂議禮，制度，考文。惟天子得以行之，則國不異政，家不殊俗，而人得寡過矣。解首兩句 上焉者，謂時王以前，如夏商之禮雖善，而皆不可考。下焉者，謂聖人在下，如孔子雖善於禮，而不在尊位也。解上焉者至不信民弗從 此君子，指王天下者而言。其道，即議禮，制度，考文之事也。本諸身，有其德也。徵諸庶民，驗其所信從也。建，立也。立於此而參於彼也。天地者，道也。鬼神者，造化之迹也。百世以俟聖人而不惑，所謂聖人復起，不易吾言也。解故君子

（註一三三）見孝經廣要道章第十二。

之道至俟聖人而不惑　知天知人，知其理也。解質諸鬼神而無疑四句　動，兼言行而言。道，兼法則而言。法，法度也。則，準則也。解是故君子至近之則不厭　惡，去聲。射，音妒，詩作斁。詩，周頌振鷺之篇。射，厭也。所謂此者，指本諸身，以下六事而言。此章承上章，居上不驕而言，亦人道也。

元　許謙曰：本諸身以下六節，只是本諸身一句，是致力處。下五節，皆以爲徵驗耳。君子之道，即上三重，謂有位之君子，行此三重之道，必本諸此身之有德，則自有下五者之應。若下五者不應，是身無其德也，則用其力以修德。

上文四句，下面兩句，卻只說鬼神聖人二者。蓋鬼神，乃天地氣之靈者，鬼神，即該天地一句，而以知天結之，先聖後聖皆一揆，聖人，即該三王一句，而以知人結之。行，已見於事，有成法而可觀，故曰法。言，未見于事，而其言可爲準則而行之，故曰則。遠之，不得見聖人者也。近之，親炙聖人者也。皆指上文君子而言，「高山仰止，景行行止」，遠之則有望也。「無以我公歸兮，無使我心悲兮」，近之則不厭也。振鷺，二王之後，來助祭之詩也。彼其國也，謂二國之君，在彼無惡之者，在此王國無厭之者，故庶幾夙夜，以長永終竟其聲譽也。中庸引之，則所謂在彼無惡，即遠之則有望之意。在此無斁，即近之不厭之意。言君子德盛道行，民之敬慕受戴如此。故下文如此之此，指本諸身以下六事也。

清　劉沅曰：上章言三者，惟天子行之。此章忽加一重字，突然而來，其義未顯，故特申言之。上焉者是主，下焉者是賓，言有此三者之權，而不盡善，亦與匹夫不見信

此解與朱子異

同也。雖善無徵，舊云時王以前，則仍是王天下，始有三重之意，下文接語無力，且意復無味，又有謂爲過脈語者，殊鹵莽矣。

徵者，酌古準今，恰得其宜。義理本於前人，立法宜乎時勢。善，則其立意美耳。三重，乃王天者分內之事，何以至重，正爲難得恰好。上焉者，有善世宜民之美意，而事不師古，未能合乎民生日用之宜，民亦弗信弗從。下焉者，可以盡善矣，而又苦於無位。兩面相形，益見有三重者，幸得乘時藉勢，不可以不寡過，故下文直接故君子之道本諸身。

愚謂：

「王天下有三重焉，其寡過也乎」。王天下有三重，然後能寡過者，此聖人之苦心，三重不易有也。禮也，度也，文也，聖王禮樂奧妙之所在。議也，制也，考也，一有不合，則戾於天命之性，而無由以撥亂反正。聖人以己所得於天者，有之於民，猶還之於天也。

寡過兼以治人民言，人民寡過，天下承平，人人有率性之道，則王天下之人，亦可寡過。寡過二字，非徒欲握三重之權也，欲廣修道之教也。

「上焉者，雖善無徵」。善、謂有其位，能行禮樂也。無徵，無喜怒哀樂未發之中，以協於天之所命也。「無徵不信，不信民弗從」。不信，上不實有天之所有，政以虛假爲之，下亦應之以虛假，相率爲僞，烏能治國家？民衆何由以率性哉？

「下焉者，雖善不尊」。善，有未發之中也。不尊，不能以禮樂施教於民也。「民弗從」，民亦無由以率性也。惟君子知寡過之道，有所在也。一宜「本諸身」也。身有未發之中，而後知禮樂之源，出於天者，即在吾之身也。二宜「徵諸庶民」也。吾之禮樂，與庶民之固有者無弗同，而後庶民能同之於我也。三宜「考諸三王而不繆」也。三王何以使天下昇平？三王之民何以人人率性？三王之禮樂，為損為益，其為因而不損益者，有所在也。四宜「建諸天地而不悖」也。悖則無以位天地，育萬物，我之所建，發而不能中節也。五宜「質諸鬼神而無疑」也。鬼神助天地以行造化，吾禮樂不為鬼神所享受，乾元不克亨通於人也。甚者災害並至，萬邦何由以協和哉？六宜「百世以俟聖人而不惑」也。天不變，道不變，百世以後之聖人，不外今日得未發之中以為聖，今日得未發之中之人，即為百世以後之聖人也。孟子曰：「先聖後聖，其揆一也」(註一二四)。又曰：「聖人復起，必從吾言也」(註一二五)。

君子能如是者，亦惟戒慎乎其所不睹，恐懼乎其所不聞，慎獨有其功夫，而後能寡過也。知天知人，君子得未發之中，則天人合一也。「動而世為天下道，行而世為天下法，言而世為天下則」。朱子曰：「動兼言行而言，道兼法則而言」(註一二六)。君子之言行，出於法則，君子之法則，出於未發之中也。

「蚤有譽於天下」未發之中，譽之所自出也。而君子之譽，未嘗有所求，而譽能蚤者，何也？譽之本亦出自未發之中也。君子有此，此君子之能寡過也。再釋自明誠謂之教，明字之功夫，至此乃合上下古今天地神明，而為一致。

(註一二四) 見孟子離婁章句下首章。
(註一二五) 見孟子公孫丑章句上第二章知言養氣章。
(註一二六) 見中庸第二十九章朱熹註。

仲尼祖述堯舜，憲章文武，上律天時，下襲水土。譬如天地之無不持載，無不覆幬。譬如四時之錯行，如日月之代明。萬物並育而不相害，道並行而不相悖。小德川流，大德敦化。此天地之所以為大也。

右第三十章

宋　朱熹曰：祖述者，遠宗其道。憲章者，近守其法。律天時者，法其自然之運。襲水土者，因其一定之理。皆兼內外該本末而言也。解首四句 辟，音譬。幬，徒報反。錯，猶迭也。此言聖人之德。解辟如天地之無不持載四句 悖，猶背也。天覆地載，萬物并育於其間，而不相害；四時日月，錯行代明，而不相悖。所以不害不悖者，小德之川流。所以並育並行者，大德之敦化。小德者，全體之分。大德者，萬殊之本。川流者，如川之流，脈絡分明，而往不息也。敦化者，敦厚其化，根本盛大，而出無窮也。此言天地之道，以見上文取辟之意也。解萬物并育至所以為大也 此章言天道也。

元　許謙曰：祖述、憲章，同於聖人，即所謂考諸三王而不謬。上律、下襲，同於天地，即所謂建諸天地而不悖。文武制作，與堯舜固有不同，夫子遠宗近守，則中間自有合符節處，所謂先聖後聖，其揆一也。或法天時，或因水土，無非中庸，皆時措之宜也。

此章三節語錄，第一節，言聖人工夫。第二節，言聖人之德如天地。第三節，言天地之大。

中庸分爲四大章，前三章，皆以孔子結之。

第一章，命之原言之，次以三達德爲入道之門，而以大舜爲首，顏路則皆孔子之門人，其後則曰，吾弗爲之，吾弗能已，是以孔子折衷之也。

第二章，言費隱之大，其下歷敘大舜文武周公，而次以孔子論政，是又以孔子繼群聖之後也。

第三章，言誠，反覆於天道人道，前既言文王，而又以孔子繼王天下三重之後，則是損益百王之道，得時措之宜，垂萬世之法，非孔子不可也。後兩章，至聖至誠，分言小德川流，大德敦化，亦就此章而言其極耳。

孟子每敘古之聖人，必以孔子終之，與子思之意一也。子貢、有若，皆曰：自生民以來，未有夫子，豈一人之私言哉。

愚謂：

「上律天時」，律者，人法天也。人得喜怒哀樂未發之中，而後知所以爲律以律於天下後世也。「下襲水土」，襲，因也。周禮「惟王建國，辨方正位，體國經野，設官分職，以爲民極」(註一二七)，六官之制，不離水土。知所以爲襲，則能因地制宜，因時制宜，五方之俗，無不可悉化而爲善良，此修道之教，所由以立也。

「辟如天地之無不持載，無不覆幬」，孔子能與天地同者，孔子有未發之中，得天地之所以然，天地之持載覆幬，在孔子即發而皆中節之和，凡天地之有，凡人得未發之中，盡人可與天地同也。

(註一二七) 見周禮天官冢宰第一。

天地之無不持載，無不復幬，天地之能具此大德大功，天地有所以主之者，而後無不持無不幬也。孔子曰：「大哉乾元，萬物資始，乃統天」(註一三八)。老子曰：「無名天地之始」(註一三九)。爲天地之主者，乾之元，無名乎！

「四時之錯行，日月之代明」，錯行，天地陰陽之氣，交合使然，然亦有爲之主者，而後能行而不亂也。代明，日月光自何而來，亦有爲之主者，而後光不因晝夜而有殘缺，能寒暑往來運轉不息也。

「萬物並育而不相害」，爲何不相害？物各一太極，各以所稟賦者以爲生存者，其相害而爲物害者，非物也，人也。人無未發之中，發而不能中節，物感之而後害生也。

「道並行而不相悖」，悖其道者不在道，人與物並生，人不至誠，人之爲道，先有以亂於下，而後物有以應之也。

洪範「咎徵休徵」(註一四〇)，皆徵之以人事。人爲萬物之靈，人能旋轉天地陰陽之道，然人不有此至誠之道，人只有人之形，而天命人之性失矣。人失所性，則無以爲中節之和，天之命人，不如是也。中庸之道救人，總以立人性爲主。

聖人能如天地無不持載，無不覆幬，能如四時之錯行，日月之代明。其所以能如之者，由祖述堯舜，憲章文武，而後有以如之耶？千古堯舜文武，獨仲尼能憲章能祖述之耶？曰：仲尼之祖述憲章，以未發之中祖述憲章也。人與堯舜文武有千古相同而不可移易

(註一三八) 見周易乾卦彖辭。
(註一三九) 見老子本義首章。
(註一四〇) 見尚書洪範篇。

者，惟此未發之中也。仲尼祖述憲章，正欲人人祖述憲章，以同有此未發之中而不失也。

仲尼知天之所以為天，知人盡有天命之性，而人不有率性之道者，由於七情之發而不能中節，於是將愼獨之功夫，其大者制之於禮樂政刑，使人從不睹不聞之處以修之。戒愼乎其所不睹，絕乎居一切睹有不正之根也。根雖小，能戒愼則不伏藏也。恐懼乎其所不聞，絕乎時一切聞有不正之本也。能恐懼則本可除也。隱也微也，人或不自知，而能爲顯爲見也。聖人立此修道之敎，如是持載覆幬之功以成，錯行代明之道以立。此章釋自誠明謂之性。

唯天下至聖，為能聰明睿知，足以有臨也。寬裕溫柔，足以有容也。發強剛毅，足以有執也。齊莊中正，足以有敬也。文理密察，足以有別也。溥博淵泉，而時出之。溥博如天，淵泉如淵，見而民莫不敬，言而民莫不信，行而民莫不說。是以聲名洋溢乎中國，施及蠻貊。舟車所至，人力所通，天之所覆，地之所載，日月所照，霜露所隊，凡有血氣者，莫不尊親，故曰配天。

右第三十一章

宋　朱熹曰：知，去聲。齊，側皆反。聰明睿知，生知之質。臨，謂居上而臨下也。其下四者，乃仁義禮知之德。文，文章也。理，條理也。密，詳細也。察，明辨也。

解唯天下至聖至足以有別也 溥博，周偏而廣闊也。淵泉，靜深而有本也。出，發見也。言五者之德，充積於中，而以時發見於外也。**解溥博淵泉而時出之** 見，音現。說，音悅。言其充積極其盛，而發見當其可也。**解溥博如天至民莫不悅** 施，去聲。隊，音墜。舟車所至以下，蓋極言之。配天，言其德之所及，廣大如天也。此章承上章而言，小德川流，亦天道也。

愚謂：

極言至誠之作用，聰明睿知從何來，功到未發之中，則至誠在我之身，不求聰明睿知，而無不聰明睿知也。「足以有臨」，發而皆中節也。「寬裕溫柔」，其人仁，而氣質化也。「足以有容」，先成己，其次以成物，而物無不成也。「發強剛毅，足以有執」，人之義立而能有斷，物欲不能擾也。執者，操之在內也。「齊莊中正，足以有敬」，禮之體立，威儀以定命也。「文理密察，足以有別」，精義入神，以致用也。有別、則和而不流也。

朱子注有容以下四者，爲仁義禮知之德，意極精，四者之來，皆人之性也，唯至誠唯能使之然也。唯至誠唯能使人以入於喜怒哀樂未發之中也。

「溥博」以用言，中節之和也。「淵泉」以體言，未發之中也。「時出」，由大本以生達道也。發而皆中節，孟子所謂「由仁義行，非行仁義」(註一四一)，時中之聖，無時不然也。

(註一四一) 見孟子離婁章句下第十九章。

「見而民莫不敬，言而民莫不信，行而民莫不說」，同聲相應，同氣相求。聖人作，而萬物睹。亦性與性，有以使之然也。「凡有血氣者，莫不尊親」。劉沅解之曰：「後世循吏之賢，蝗不入境，虎不渡河，況聖人在上而爲君相，體天之化，仁育義正，太和翔洽，草木禽獸魚鱉咸若。如書所云：獸舞鳳儀，其尊親之意，無知亦若有知，蓋不足怪，即聖人在下而爲布衣，得天之道，維持大經，親炙者化，聞風者悅，甘露醴泉，麟書龜字，亦往往而有。蓋天人上下，惟此一理之至者，含元氣，入細微，海鷗忘機，琴魚出聽，獨行之士，感物尚然，何況至聖」（註一四二）。

余按尊親者，亦各尊之親之，各以其性所趨赴而已。原率性之道，不僅人有之而已也。萬物皆具此性，特萬物未得其全體不能操其用而已。惟聖人知以性修道立教，立教之法，其精深者，皆法天之所以爲命，故曰配天。人與天合一，天之道，人有之。此書人可不熟讀深思而自失其所以爲人耶?

聰明睿知二句，冒下八句讀。朱子以仁釋寬裕句，義釋發強句，禮釋齊莊句，知釋文理句。人各具此五常之德也。形於外發於用，五常、即五倫也。孟子曰：「聖人，人倫之至也」（註一四三）。

「足以有容」，仁者、無不愛也。唯仁人能愛人，聖人亦愛之以性而已。

「足以有執」，義者、無勿宜也。舜執其兩端，用其中於民，民無不悅。舜所居，一年成市，二年成都，至聖之義，有以成之也。

（註一四二）見槐軒全書劉沅四書恆解中庸卷下、晚年定本、清光緒十年、豫誠堂鐫本第一三七—一三八頁。

（註一四三）見孟子離婁章句上第二章。

「足以有敬」，敬，禮也，民之主也。能敬、必有大德。子曰：「克己復禮，天下歸仁焉」(註一四四)。孝經曰：「安上治民，莫善於禮」(註一四五)。至聖之禮，出於未發之中，民之性也。

「足以有別」，別，知也。知物之所以然，則化而裁之，推而行之。率性之道，民共由之，而不知其所至也。此達道所由以立也。

「見而民莫不敬，言而民莫不信，行而民莫不說」，至聖以民之性爲見、爲言、爲行，民之敬之、信之、說之，亦以性應之也，此至聖之發而皆中節也。中也者天下之大本也。

「是以聲名洋溢乎中國，施及蠻貊」，「凡有血氣者，莫不尊親」，其爲尊親，亦人與物之性，尊之親之，以性尊性，以性親性也。天下猶一身脈絡無不周流貫通也。

「故曰配天」。配者，天有之，人同有之，天之道，不徒在天，人與天平分而共有之。至聖之能有之，亦其有喜怒哀樂未發之中而已也。

唯天下至誠，為能經綸天下之大經，立天下之大本，知天地之化育，夫焉有所倚。肫肫其仁，淵淵其淵，浩浩其天。苟不固聰明聖知，達天德者，其孰能知之。

右第三十二章

(註一四四) 見論語顏淵第十二首章。

(註一四五) 見孝經廣要道章第十二。

宋　朱熹曰：經綸，皆治絲之事。經其緒而分之。綸者，比其類而合之。經，常也。大經者，五品之人倫。大本者，所性之全體也。惟聖人之德，極盛無妄，故於人倫，各盡其當然之實，而皆可以爲天下後世法，所謂經綸之也。其於所性之全體，無一毫人欲之僞以雜之，而天下之道，千變萬化，皆由此出，所謂立之也。甚於天地之化育，則亦其極誠無妄者，有默契焉。非但聞見之知而已。此皆至誠無妄，自然之功用，夫豈有所倚著於物而後能哉。肫肫，懇至貌，以經綸而言也。淵淵，靜深貌，以立本而言也。浩浩，廣大貌，以知化而言也。其淵其天，則非特如此而已。聖知之知，去聲。固，猶實也。鄭氏曰：唯聖人能知聖人也。

此章承上章而言，大德之敦化，亦天道也。前章言至聖之德，此章言至誠之道。然至誠之道，非至聖不能知。至聖之德，非至誠不能爲。則亦非二物矣。此篇言聖人天道之極致，至此而無以加矣。

清　劉沅曰：「大經」，禮樂刑政之屬，有所增損，故曰經綸。「大本」，倫常心性，終古不變，故曰立。「化育」，則天地自然之氣機，與至誠相合者，「夫焉有所倚」，隨時處中，無一毫偏倚也。

前章言至聖配天，中庸之道之妙已盡，此乃收轉至誠，明其至中。經綸三句，總括其用而言。夫焉有所倚，中也。而肫肫、淵淵、浩浩者，無人知，則至神妙。下章又收轉庸字之意，蓋上文言聖道已極，於無可加，恐人無從致力，故此章特就大經大本切實處言，見至聖即至誠，不過此心性倫常而已。言其以一誠，經綸大經，立大本，知化育，所以爲中庸之德。達天德者，即至誠至聖也。

愚謂：

「唯天下至誠，爲能經綸天下之大經，立天下之大本，知天地之化育，夫焉有所倚」。大經何？謂修道之教，禮樂之用，重在五倫是也。大本何？中也者，天下之大本也。本，人之性也。性立本立，發而中節也。化育何？惟天生物，係以化育。化育有根，惟聖者知之。故聖人以立天之道，立之於人，人得之，天下可因而太平。太平者，化育之所致也。不倚何？至誠之經綸，至誠之立，至誠之知，至誠皆出自己之性，至誠之所倚者，天也，人之性也。至誠有此經綸者，至誠通喜怒哀樂未發之中，故知從此處下手也。

「肫肫其仁」，至誠之仁，至性之所發，至誠之性盡，故仁亦至也。「淵淵其淵」，至誠之性，非義襲而取之，性至，則無不淵深也。「浩浩其天」，至誠之身，與天爲一，不一人獨有其天，修道之教，俾人人共有此天，故其天所由浩浩也。

「苟不固聰明聖知，達天德者，其孰能知之」。何謂固？誠而又誠，功到未發之中，則無不固也。戒愼乎其所不睹，恐懼乎其所不聞，於不睹不聞之中，能深其戒愼恐懼，即所以爲固也。達天德之達，人達之，人以何爲達？亦於喜怒哀樂未發之中，深其功用，未發之中得，即天之德也。人有未發之中，即人有天之德也。故曰達天德。中庸凡言天，皆人人身上可有之天言之。「孰能知之」，孟子曰：「知其性，則知天矣」（註一四六）。知性知天，則人能經綸天下之大經，而修道之教，亦賴以不墮。子思之所睠懼於心者在此，故此書以此章終焉。

（註一四六）見孟子盡心章句上首章。

此章總上各章之義，而出以贊嘆之詞。知天地之化育一言，又爲全經之宗旨所在。天地之化育，人何由而知，人得喜怒哀樂未發之中，則天地之所以爲化育者在我也。「立天下之大本」，中也者，天下之大本也，立之於天下，則天下之人有大本，即天下之人能發而皆中節，皆能率性也。天下之大，大本豈易立耶？唯至誠有經綸之法也。經綸其大經，天下之大本，即可立也。何謂「大經」？五常是也。五常發現於外，即人之五倫。人之率性不率性，就其所處於五倫，可盡知也。至誠經綸天下之大經，即經綸天命人之性也。

或曰天命人以性，其爲命亦有景象可得而聞歟？曰肫肫其仁，淵淵其淵，浩浩其天，狀至誠得未發之中，即狀至誠得天爲命之景象，有若是焉而已。固聰明聖知，至誠之所以爲固，亦固之以未發之中而已。達天德，天之德人達，人能至誠，則天之德在人，而爲人之德也。「孰能知之」？至誠之教人爲知，從慎獨始，慎到喜怒哀樂之未發，即人皆能知之也。

本章兼自明誠自誠明兩義而立言，中庸之道盡於此。本解則本朱子集註，而欲有以發揮之，俾學人或易實踐也。

詩曰：「衣錦尚絅」，惡其文之著也。故君子之道，闇然而日章，小人之道，的然而日亡。君子之道，淡而不厭，簡而文，溫而理，知遠之近，知風之自，知微之顯，可與入德矣。詩曰：「潛雖伏矣，亦孔之昭」。故君子內省不疚，無惡於志。君子所不及者，其唯人之所不見乎！詩云：「相在爾室，尚不愧於屋漏」。故君子不動而敬，不言而信。詩曰：「奏假無言，時靡有爭」。是故君子不賞而民勸，不怒而民威於鈇鉞。詩曰：「不顯惟德，百辟其刑之」。是故君子篤恭而天下平。詩云：「予懷明德，不大聲以色」。子曰：「聲色之於以化民，末也」。詩曰：「德輶如毛，毛猶有倫」，「上天之載，無聲無臭」，至矣。

右第三十三章

宋 朱熹曰：衣，去聲。惡，去聲。前章言聖人之德，極其盛矣。此復自下學立心之始言之，而下文又推之以至其極也。詩，國風衛碩人，鄭之丰，皆作衣錦褧衣。褧絅同，禪衣也，尙，加也。古之學者爲己，故其立心如此。尙絅，故闇然。衣錦，故有日章之實。淡、簡、溫、絅之襲於外也，不厭而文且理焉，錦之美在中也。小人反是，則暴於外，而無實以繼之，是以的然而日亡也。遠之近，見於彼者，由於此也。風之自，著於外者，本乎內也。微之顯，有諸內者，形諸外也。有爲己之心，而又知此三者，則知所謹，而可入德矣。故下文引詩言謹獨之事。**解首句至可與入德矣** 惡，去聲。詩，小雅正月之篇。承上文言莫見乎隱，莫顯乎微也。疚，病也。無惡於志，猶言無愧於心，謹獨之事也。**解詩云潛雖伏矣至其唯人之所不見乎** 相，去聲。詩，大雅抑之篇。相，視也。屋漏，室西北偶也。承上文又言君子之戒謹恐懼，無時不然，不待言動而後敬信，則其爲己之功，益加密矣。故下文引詩，并言其效。**解詩云相在爾室至**

不言而信 假，格同。詩，商頌烈祖之篇。奏，進也。承上文而遂及其效，言進而感格於神明之際，極其誠敎，無有言說，而人自化之也。威，畏也。鈇，莝斫力，鉞斧也。**解詩曰奏假無言五句** 詩，周頌烈文之篇。不顯，說見前二十六章。此借引以爲幽深玄遠之意。承上文言天天有不顯之德，而諸侯法之，則其德愈深，而效愈遠矣。篤，厚也。篤恭，言不顯其敬也。篤恭而天下平，乃聖人至德淵微，自然之應，中庸之極功也。**解詩日不顯惟德四句** 詩，大雅皇矣之篇，引之以明上文所謂不顯之德者，正以其不大聲與色也。又引孔子之言，以爲聲色，乃化民之末務，今但言不大之而已。則猶有聲色者存，是末足以形容不顯之妙，不若蒸民之詩，所言德輶如毛，則庶乎可以形容矣。而又自以爲謂之毛，則猶有可比者，是亦未盡其妙。不若文王之詩，所言上天之載，無聲無臭，然後乃爲不顯之至耳。蓋聲臭有氣無形，在物最爲微妙，而猶曰無之，故惟此可以形容不顯篤恭之妙。非此德之外，又別有是三等，然後爲至也。**解末節**

此章子思因前章極致之言，反求其本，復自下學爲己謹獨之事，推而言之，以馴致乎篤恭而下天平之盛。又贊其妙，至於無聲無臭，而後已焉。蓋舉一篇之要，而約言之，其反復丁寧示人之意，至深切矣。學者其可不盡心乎。

元　許謙曰：不顯惟德一節，不顯有二義，一謂無迹可尋，而不顯著。一謂不發揚。二說俱存，其義始備。篤恭而天下平，即垂拱而天下治之意，其功效至此已盡，下段只是形容不顯之妙。

予懷明德一節，以無聲無臭，形容不顯之妙，則聖人之道，幾於虛無矣，而曰上天之事，此所以爲聖人之道也。君子惟能慎獨，又不睹不聞而戒懼，不使心之所存所發，有一毫不誠。久而此心，渾然天理，人莫之知，但見其應事接物，從容中道，與天爲一爾，則不顯之妙也。此所謂聖而不可知之謂神也。

此章雖自下學立心入德說來，以至於極，分作六節。然第一節，只是說用心向內。第二節，乃言慎獨。第三節，言戒懼，惟此兩項工夫而已。下三節，五引詩，皆是言效。

愚謂：

「衣錦尚絅」，古人修道，修之於禮樂。服之所在，即禮樂之所在。有其服，有其容，使人不亂於威儀，以從容而立天命之性也。又即所謂道也者，不可須臾離也。錦，服之美者也。尚絅者，恐其美露於外猶未足，非徒惡其文之著也，古之學者爲己，慎獨之深有如此也。慎獨之慎字，功夫見於內者，亦有層次之分也。

「暗然而日章」，章，光明也。光明奚自生，出於暗也。暗，即獨也。

「小人之道，的然而日亡」，功夫未入於闇，戒獨猶不慎也。

「淡而不厭」，不厭，心久而不外馳，在大學即知止有定也。「簡而文」，文自簡生，執簡可御繁也。「溫而理」，溫，體也。理，用也。用生於體也。「知遠之近，知風之自，知微之顯」。三知字發於內，己獨知，他人亦若有不可共喻於此者也。「可與入德」，知此下學之功夫，乃可上達也。

「潛雖伏矣，亦孔之昭」，子思解以君子之所不可及者，其爲人之所不見乎。不見，即獨也。不可及，爲人所不見，未發之中，要慎獨，須從潛伏處做起，首章莫見乎隱，莫顯乎微之意也。

「相在爾室，尚不愧于屋漏」。屋漏，室之西北隅，光從此入者也。人不愧者，喻人心之光明有若是也。人修未發之中，中即有此光明。莊周所謂「虛室生白，吉祥止止」(註一四七)是也。「不動而敬，不言而信」，敬生於不動，信生於不言。其爲敬爲信，雖在他人，而生敬生信，我不動不言之處，要先有功夫也。不動不言，生敬生信之根本所在也。

「奏假無言，時靡有爭」。靡爭，心不貳，愼獨也。奏格，人與神明合一，達道之和，能使上帝臨汝也。

「不顯惟德，百辟其刑之」。德者，性之內有而能外著者也。以德刑人，人亦以德應之。其刑也，即和也者，天下之達道也。

「予懷明德，不大聲以色」。明德，即未發之中，聲與色，一毫不可加入也，謂獨宜愼而又愼也。天之所懷如此，人能如天所懷，則人亦天也。

「德輶如毛，毛猶有倫」。喻心宜靜，而後未發之中可得也。心性通，靜極之雖細如毛之倫，亦若可無有。濂溪「主靜以立人極」(註一四八)，人之極，要從此等處立也。

「上天之載，無聲無臭」。功抵於至誠，而天之爲命，其景象亦不外此。金剛經所謂「不可以色相見我，以聲音求我」(註一四九)也。

此章八引詩以終一篇之義，喻爲己愼獨之學，步深一步。朱子曰：「蓋舉一篇之體要，

(註一四七) 見莊子人間世第四。
(註一四八) 見周子太極圖說。
(註一四九) 見金剛經法身非相分第二十六。

而約言之」(註一五〇)。何謂體要？初引詩經衛碩人篇：「衣錦尚絅」，明文之不可著耶？原誠有未至，則文不能著也。此功夫以初下手言之也。易曰：「初九，潛龍勿用」(註一五一)。子曰：「龍德而隱者也，不易乎世，不成乎名，遯世無悶，不見世而無悶，樂則行之，憂則違之，確乎其不可拔，潛龍也」(註一五二)。功夫當未入於未發之中，戒慎恐懼之心，不可無也。

二引小雅正月篇：「潛雖伏矣，亦孔之昭」。此功夫上已知有所潛伏時也。昭生於潛，潛到無弗潛則昭，慎獨精到，一物不伏藏也。

三引大雅抑之篇：「相在爾室，尚不愧於屋漏」。子思曰：「故君子不動而敬，不言而信」，其不動不言，慎獨之功夫又有進步也。

四引商頌烈祖篇：「奏假無言，時靡有爭」。言人之所以交於神明而神明感格者，易曰：「盥而不薦，有孚顒若」(註一五三)。此功夫已進入於未發之中矣。

五引周頌烈文篇：「不顯惟德，百辟其刑之」。德刑百辟耶？百辟亦刑以己之德也。大學所謂明德明於天下矣。功夫到此，極言未發之中不可無，可使天下感而化之也。

六引大雅皇矣篇：「予懷明德，不大聲以色」。子曰：「聲色之於化民末也」。孟子曰：「大而化之之謂聖，聖而不可知之之謂神」(註一五四)。未發之中，功夫在美，有若是

(註一五〇) 見朱熹中庸章句三十三章尾段。
(註一五一) 見周易乾卦爻辭。
(註一五二) 見周易乾卦文言。
(註一五三) 見周易觀卦。
(註一五四) 見孟子盡心章句下第二十五章。

也。

七引大雅烝民篇：「德輶於毛，毛猶有倫」。未發之中，人之德也。當未發時，無倫也。有倫則不可入於未發之中也。

八引大雅文王之篇：「上天之載，無聲無臭」。喜怒哀樂未發之中，中之所載，無聲無臭，人與天同也。天不在天而在人也。

總結

清　楊名時曰：道之不行以下，至子路問強，是天命之性。蓋天命之理，乘於氣質之中，故有愚賢不肖之偏，須變去其偏處，而復還吾固有之達德。素隱行怪以下，是言率性之道。蓋言道本無所隱，至費而察，不外夫婦子臣弟友間。唯在忠以立本，恕以達用。忠，即戒懼，以培未發之謂也。恕，即慎獨，以求中節之謂也。

反而自責以求能，又不因己之已能而尤人。不特無尤而已，又必至於妻子兄弟父母之間，咸有以相感化。不唯能感人類而已，直至與鬼神契合無間，德足以格天受命，孝至於享親祀祖，乃能盡道之量也。此本忠恕以造之，而極於能誠之域。

其各章次第，由夫婦而及子臣弟友，由人倫而及富貴貧賤夷狄患難，皆所謂卑且邇者，而所謂高遠，即不外是。推而極於鬼神，亦不外仁孝之理。觀其德之微而顯，則道之離費無隱益見矣。

下三章，因舉聖人修道之教言之，以爲求道者法，而因以孔子告哀公者承其後，見孔子承堯舜文武周公之統，貫徹天人，闡道立教，爲萬世法也。此章是中庸一書之腰，前半子思引之，以明性、道、教之說。凡事豫則立以下，言明善誠身，子思引之，以起後半誠明之說。

自誠明，謂以誠爲本，而由是足以燭天下之理也。有一分誠，則有一分明，此是性之德如此。自明誠，謂由體察萬理，而歸於一誠也，此聖人教人用功如此。

唯天下至誠以下五章，皆言誠字，朱子以天道人道分配，宜善會其意，不可太泥。唯天下至誠，誠也。盡己性以至盡人物之性，明也。不獨聖人如此，即其次亦然。曲，是因其仁義禮智所發之端而擴充之，擴充則能有誠矣。形、著、明，暢於四支也。變、動、化，發於事業也。

唯天下至誠乃能化，未至於至誠，則不能化，非謂其次如此，則亦天下之至誠也。此皆言至誠功化之盛。

前知章，乃言其先幾之哲，凡此三章，所謂盡己性、盡人性物性，暢四支，發事業，與乎前知之道，皆所謂道也。道必以誠爲本，乃能有以致用。故云，誠者，自誠也。而道，自道也。蓋謂有以完其性分所固有，乃有以盡其職分所當爲，必全乎性之德，而道乃時措咸宜也。故至誠之德，與天同運，流行不息，自然有不測之功用。

此章之眼，全在不息字、久字、不已字，見天之誠如此，聖人之誠如此，則學者之誠，亦當如此也。中明戒懼，以培未發，全天命之本然。大哉聖人之道，至仲尼章，則申言明字。故提聖人之道說，言道之大，極於無外，而小於無內。君子既尊德性，以極其大，又不可不道問學，以盡其細也。尊德性者，誠之事。道問學者，明之事。三百三千，一一究晰，方能合攏來歸到一誠。

下因言以孔子之聖，於禮、度、文，必從周，必考之三王，建諸天地，實諸鬼神，百世以俟聖人，其所以盡明之之事者如此。蓋唯孔子知天知人，故其言行，足爲世道、世法、世則，遠有望，而近不厭也。

下因言孔子之學，貫徹古今上下者而贊之，而結之以小德川流，大德敦化。川流屬明，敦化屬誠。

下因言至聖，以結小德，言至誠以結大德。至聖至誠，即仲尼也。大德，即未發之大本。小德，即已發之達道。言天下之至誠，由至中之事，欲人戒懼以存其本。言聖人之道，由致和之事，欲人愼獨以致其用也。

末章復自下學者言之，立心爲己，而知幾亦自誠明也。內省而至，不言而信，不動而敬，自明誠也。

愚謂：

或曰：世無孟子，則告子許楊墨蘇張之說，將橫被天下，而人皆不人也。愚謂世無中庸，則人不知文武周公之盛德大業，從何做出也。孟子之學，子思之所傳。中庸又子思之自作。中庸之宗旨，子思一人之言與！千古聖人一貫之道，天下因之而太平失此而不太平者，皆以此也。尊之，太平。逆之，大亂。亦即教人法天以有其天，天之所有人有之，人乃可代天出治，故天下祥和。惟是聖人之言，不可僅以心知之而已也，當字字實踐體用諸身也。

參考書籍

四書集註　宋　朱熹撰
中庸章句　附中庸輯略　中庸或問　宋　朱熹撰
中庸指歸　中庸分章　宋　黎立武撰
中庸傳　宋　晁說之撰
中庸集編　宋　真德秀撰
中庸說（殘）　宋　張九成撰
中庸叢說　元　許謙撰
中庸直解　元　許衡撰
中庸箋義　元　趙悳撰
中庸直指　明　釋德清撰
中庸衍義　明　夏良勝撰
中庸古本旁釋　附古本前引　古本復申　明　王文祿撰
中庸章句大全　明　胡廣撰
中庸章段　清　李光地撰
中庸四記　清　李光地撰
中庸餘論　清　李光地撰
中庸說　清　毛奇齡撰

中庸劄記　清　楊名時撰
中庸講義　清　楊名時撰
中庸本解　清　楊亶華撰
中庸提要　清　楊亶華撰
中庸撮總　清　竇文炳撰
中庸補注　清　戴　震撰
中庸節訓　清　呂調陽撰
中庸切己錄　清　謝文洊撰
中庸箋註講義別體　清　潘家邦撰
中庸章句質疑　清　郭嵩燾撰
中庸諸訓糾正　清　胡　渭撰
四書恆解　清　劉　沅撰
十三經注疏
古註十三經
易程傳
尚書大傳
二程全書
史　記
宋　史

老子本義
莊　子
周子通書
張子全書
近思錄
王陽明傳習錄
金剛經
陰符經

理學釋疑

問：理學爲靜的儒道，故缺少活力？

答：人之活力，必出於靜，不能靜者，其活力必不充足。伊尹代夏救民，活力也，非出於莘野之耕乎？莘野之耕，伊尹之靜也。子房扶漢滅秦，活力也。非出於圯橋進履之時乎？黃石公之教子房，教之以靜也。武侯扶漢，活力也，非出於抱膝長吟之時乎？徐庶（註一）劉備訪諸葛，訪其能靜也。鄴侯（註二）救唐，活力也，非出於懶殘煨芋之時乎？煨芋時懶殘教之以靜也。

孟子曰：「原泉混混，不舍晝夜，盈科而後進，放乎四海，有本者如是，苟爲無本，七八月之間，雨集，溝澮皆盈，其涸也，可立而待也」（註三）。放乎四海，活力也。混混原泉時，靜也。易曰：「山下出泉，蒙。君子以果行育德」（註四）。果與育，養活力。周公謂人之活力宜養之於靜也。

大學言能慮能得，在能定能靜能安之後，是慮與得，人之活力也。不能靜，靜不到能安，則不能慮，慮不能得，是活力缺少，全在一個靜不靜而已也。理學爲靜的儒道，

（註一）徐庶，三國時，穎川人，字元直，初仕劉備，尋曹操獲其母，庶乃薦諸葛亮於劉備以自代，辭備歸操，母見其背備而來，大忿，自縊死。

（註二）鄴侯，李泌，唐京兆人。字長源，七歲能文，天寶中召授翰林，事肅宗於潛邸。楊國忠忌之。還隱深山。安祿山作亂，肅宗即位，總掌樞務，權逾宰相，爲李輔國所忌。代宗立，召授秘書監……封鄴侯。

（註三）離婁章句下。

（註四）蒙卦大象辭。

何嘗缺少活力！靜爲活力之根本所在也。

子未知靜中功夫，子亦不知活力之來源也。

問：孔孟強哉矯活潑的道理，經宋儒受佛學的薰陶，由動轉入靜，而淪於半禪定，或準禪定的狀態，是箇中差錯極多也。此言然否？

答：孔子告子路強哉矯凡四句(註五)，都要從不變塞焉做出，然後能強哉矯。試問人在塞時，塞爲何物？不變又是甚麼功夫？塞、原是人人固有之物，不變要如何而後能不變，而後塞能長有諸身，而後人能長有活活潑潑的道理？中庸言舜文武周公之大事業，都是從「上天之載，無聲無臭」(註六)一段大功夫做出來的。夫無聲無臭非靜乎？非先靜而後轉入於動乎？武侯戒子書曰：「才須學，學須靜，非淡泊無以明志，非寧靜無以致遠」。試問人之箇中，長有幾分靜氣，有何不好？

至佛言箇中之功夫，又全在一靜字，金剛經曰：「不可以色相見我，不可以聲音求我」(註七)。又曰：「過去心，不可得；現在心，不可得；未來心，不可得」(註八)。楞嚴經言滅識成智，并呵那耶識，都要滅得乾淨。佛力之廣大，佛心之慈悲，猶不活潑耶？佛之言靜，其理本與儒通，人特患不能轉入耳。閣下之箇中，本求通儒佛之理，而言儒言佛都是門外漢。未得其門而入，不見宗廟之美，百官之富。

(註五) 見四書集註中庸第十一。

(註六) 詩大雅文王之什首篇內末段。

(註七) 見金剛經法身非相分第二十六。

(註八) 見金剛經一體洞觀分第十八。

閣下箇中之差錯極多，有如井底蛙說天小，不知所見者小耳。

問：中國二千五百年之思想，總是實踐第一，孔門求可行之道，平行篤實，直截了當，孔子不曾講本體也，不曾講工夫也，更不談性與天道，爲何理學以佛説法，言清心寡欲，明心見性耶？

答：實踐第一，實踐離卻本體，實踐何物？實踐不講工夫，何以謂之實踐？子貢曰：「夫子之文章，可得而聞也。夫子之言性與天道，不可得而聞也」(註九)。孔子不談性與天道，子貢何由知有性與天道？子貢言不可得而聞，正欲深其所聞於性與天道也。子曰：「予欲無言。子貢曰：『子如不言，則小子何述焉』？子曰：天何言哉！四時行焉，百物生焉！天何言哉！」(註一0)。孔子自言五十而知天命(註一一)。又曰：「予所否者，天厭之，天厭之」(註一二)。又曰：「天之未喪斯文也，匡人其於予何」(註一三)？

孔子一生所言者，皆天之道也。至性字之功夫，論語上下兩篇，無處不是言性，仁也，孝弟也，皆性之所自出也。一貫之道(註一四)，一、即性也。謂孔子平生所言，性外未增一言，亦無不可。孟子曰：「養心莫善於寡欲，其爲人也寡欲，雖有不存焉者寡矣；其爲

(註九) 見論語公冶長第五。
(註一0) 見論語陽貨第十七。
(註一一) 見論語爲政第二。
(註一二) 見論語雍也第六。
(註一三) 見論語子罕第九。
(註一四) 見論語衛靈公第十五、里仁第四。

人也多欲，雖有存焉者寡矣」(註一五)。清心寡欲，豈僅佛言之耶？又曰：「盡其心者，知其性也，知其性則知天矣」(註一六)。明心以見性知天，不與孔子同耶？子何並四書而亦忘之耶？

問：禪宗乃出世之學，非入世之學，以出世之學，行入世之道，自然要出毛病。然否？

答：出世與入世，古之善言學者，原無所區別。清儒俞曲園曰：「以出世之心入世，則世易治」。近儒唐文治亦曰：「自來理學昌明，則世多治」(註一七)。佛經各大宗，皆論出世之功夫，心豈忘世耶？佛正爲救世而立言也。心果得此出世之功夫，其人欲不救世可得耶？

千古聖賢所言，出世所由重於入世者，入世之根底，必先立於出世之時也。

「子路使子羔爲費宰。子曰：賊夫人之子也」(註一八)。賊者，謂出世之學，猶未深造也。

「子使漆雕開仕。對曰：吾斯之未能信。子悅」(註一九)。悅何？悅其能深造出世之學，而他日入世自無疑難也。謝上蔡曰：「心不安於小成，他日所就，其可量乎」(註二〇)。

子言要出毛病，不解所謂。

(註一五) 見孟子盡心章句下。
(註一六) 見孟子盡心章句上首章。
(註一七) 見治言雜誌，民初唐氏於南京辦國學館並發行此月刊。
(註一八) 見論語先進第十一。
(註一九) 見論語公治長第五。
(註二〇) 見此句朱熹集註。

問：陰陽變易，生生不息，就是動，由動可以見性，喜怒哀樂，喜有喜容，怒有怒容，喜怒未發，有甚麼氣象可言，觀有何益？

答：陰陽變易，生生不息，此就天地間之已發者言之也。抑知已發必生於未發乎？物之變易，生於太極，太極生於無極，無極不動也。子曰：「天下之動，貞乎一者也」(註二一)。當其爲一時，無動也。「潛龍勿用，陽氣潛藏」(註二二)。龍在潛藏時，不動也。「尺蠖之屈，以求信也。龍蛇之蟄，以存身也」(註二三)。當其爲屈爲蟄時，亦不變易也，亦不動也。

凡天下之動，皆生於不動也。不動，動之母也。動，不動之子也。子但舉生生變易者言之，不知變易生生之有來源，來源失，變易亦將無有耶！

子又謂「動可見性」，是謂見性不必求之於靜。不知動，人之情也。吉凶悔吝，生乎動。人之動，不能悉吉也。中庸「誠者不勉而中，不思而得」(註二四)。孟子言舜「由仁義行，非行仁義」(註二五)。此等功夫，常人不能有也。唯聖者能之。欲求動無不吉，不有學可以致之耶？

中庸言中節之和，出於未發之中。子但謂喜有喜容，怒有怒容，人之觀必以其容，舍容即無以爲觀也。抑知觀在外，多取其容，而容之所生，及反觀而自得者，不在容，

(註二一) 見易經繫辭下。
(註二二) 見經乾卦文言。
(註二三) 見易經繫辭下。
(註二四) 見中庸第二十章。
(註二五) 見孟子離婁下。

而在「視之不見，聽之不聞」(註二六)之時乎？觀喜怒哀樂未發時之氣象，是周子教二程子為學而上達之一層工夫，學不到此境界，人於聖賢，猶是門外漢。

至氣象之說，詩云：「穆穆文王，於緝熙敬止」(註二六)。穆穆，氣象也。文王之緝熙，即緝此穆穆所生之熙，熙非氣象耶？老子「常無欲，以觀其妙，常有欲，以觀其竅」(註二七)。老子言道，亦以觀言之。又云：「其上不皦，其下不昧，繩繩兮不可名，復歸於無物，是謂無狀之狀，無物之象，是謂惚恍，迎之不見其首，隨之不見其後，執古之道，以御今之有，能知古始，是謂道紀」(註二八)。曰繩繩，曰惚恍，曰不皦，曰不昧，非氣象耶？其氣象非自觀中所生耶？

子讀書未窮理，故不解聖人之言之所在也。

問：靜之目的，在修到老寡婦死水不波之心境，一切無動於中，這豈是所以應世用世之方？

答：「易，無思也，無為也，寂然不動，感而遂通天下之故」(註二九)。無思無為，非靜耶？感而遂通天下之故，靜能為感為通，不能為應世用世之方耶？

唐人詩「波瀾誓不起，妾心古井水」(註三〇)。此言人之節操應如是，而後用於世者，不

(註二六) 語出中庸第十六章。

(註二六) 見毛詩大雅卷十六。

(註二七) 見道德經首章。

(註二八) 見道德經第十五章。

(註二九) 見易經繫辭上卷七。

(註三〇) 見唐詩樂府孟郊烈女操。

隨物以爲流遷。其波瀾不起，即孟子所謂富貴不能淫，貧賤不能移，威武不能屈，此之謂大丈夫也。

子欲毀滅靜字之說，而求應世用世之方，是「不揣其本，而齊其末，方寸之木，可使高於岑樓」（註三一）耶？

問：人生豈能無欲，無欲又何必有作有爲，生生不息？

答：無欲，而後所作所爲者真，能生生不息。有欲之作爲，僞也。僞，則不能生生不息。始皇之築萬里長城也，欲非不大，何以不二世而國亡？易言「有親則可久，有功則可大，可久則賢人之德，可大則賢人之業」（註三二）。可久可大之德業，出於簡易，簡易何？即心無私欲也。

聖人知人之不能無欲，及縱欲之爲害，不獨爲害一身，且造亂於天下後世，而人盡受其害。故聖人有寡欲去欲之法，以變化其氣質。功夫做到，欲猶是也，而欲爲性用，不獨不爲人害，而能助人以立大功。

中庸言人得喜怒哀樂未發之中，則人之喜怒哀樂所發皆能中節。未發之中，即無欲也。發而皆中節，即有作有爲也。不獨中庸如是以立言也。凡聖人所言，無不如是也。聖人之言，猶在人間也，人多不實踐其言者，不知其言中之理也。故宋儒專就經中之理，切實發明之，以使人人能有作有爲。

（註三一）語出孟子告子下首章。

（註三二）見易經繫辭上。

宋儒之言，與聖人之言相吻合，群經之髓也。禮記「四十始仕，方物出謀發慮」(註三三)。方物出謀發慮，有作有爲也。不說在四十以前，而在四十以後者，四十以前，要多做無欲之功夫也。大學言慮而后能有得，在能靜能安之後，其理同。君未從經書中用功夫，故不知理學爲何物，故不知理學之有作有爲也。不知理學之有作有爲，乃生生不息之根本所在也。

問：去欲言性，或存天理滅人欲的話，都是犯幼稚的毛病，未曾曉悟性情之爲物。

答：性與情，二物也。可混作一談耶？人之欲，有善有不善。人之性，則無不善。使人惡而不善者，莫情若也。理學家言去欲滅欲存天理，是爲味於性，徒以情用事之人言之也；是爲人復性用工夫，使其欲得其正而人無不善言之也；是使爲人能以性作主，則欲無不善言之也。並未教人以滅欲也。是爲人以改善其欲也。閣下未能曉悟性與情爲何物，故混性與情爲一談。

問：宋儒理學，使孔門平易孝弟忠信的教訓，轉爲迂闊空疏之談，此說是否？

答：迂闊空疏，是學而無理者乃有也。爲學而缺理，徒有文字，則迂闊空疏也。焉有理學

(註三三) 見禮記內則第十二卷八。

而其人不孝弟忠信？亦未有人能孝弟忠信，而其人不合於理學，而反於理學之所爲也。大凡非理學者，不解孝弟忠信之理之有所在，亦不知不孝不弟不忠不信之人之有所由。故不孝弟忠信之人，日出而日多，而爲迂闊空疏之論說，罪宋儒理學之人亦日甚也。講唯物，講廢除紀綱，使人日同於禽獸而不自知，猶曰我孝弟忠信耶？我不迂闊空疏耶？猶曰人之不孝弟忠信者，是宋儒理學害之耶？

噫！太華爲丘垤，蹄水爲江河，亂天下蒼生，而使國敗文化滅者，此輩也。

足下不知孝弟忠信之人之理及其理之所自出，又不明孔門孝弟忠信之教訓，即是宋儒理學，而反以理學爲迂闊空疏也。

問：清儒是因宋學之支離破碎，故屏而棄之，而思漢學之復興嗎？

答：漢學之名，起於清乾嘉時代，然當時亦非不重視理學也。紀曉嵐修四庫提要，乾隆知紀學淵博，而於理學固未問津，手諭曰：「子於理學書但收存，莫加評定」。乾隆重視學術固如是。

清袁簡齋善於詩文者，然於佛經多毀薄，謂是一桶水，倒來倒去，還是一桶水。并厭棄理學書，人問其故，曰：「我不願入聖廟吃那塊冷肉」。

世間只有指漢學家破碎支離，謂以數萬言解曰若稽三字而不足，未聞以此而非宋儒者。

問：人欲淨盡，不是天理流行，而是寂滅虛空嗎？

答：閣下無理學功夫，不知天理爲何物，不知天理如何而流行，不足怪也。閣下將以人欲流行，爲天理流行耶？不知寂滅空虛，是指去人欲而言，人欲既淨，而後天理發現。

人欲是遮蔽天理之物，人果能寂滅空虛，則天理不在天，而在我。

王船山曰：「我即與天分伯仲，更誰愁老，誰愁穉」。人欲盡，人想不天理流行，不可得也。

老子曰：「我無爲，而民自化，我好靜，而民自正」（見老子道德經五十七章）。無爲，即所爲不用我之欲，而用我之性以引民之性，民乃自化於性也。我好靜，我與民同去其欲也。民自正，民各有性，民自得其性也。

若人不寂滅空虛，則「有無相生，難易相成，長短相形，高下相傾，聲音相和，前後相隨」（見老子道德經第二章）。凡天下大亂，無不起於人欲流行也。

閣下於寂滅空虛四字，未能明其說，故於天理爲何物，如何而天理流行，終隔萬重雲霧。

理學指要

理學出於經，離經非理學；理學出於天命之性，外性不可言理學。此爲研究理學者於根本上須有之認識，否則，臨篇綴拾，空摩揣測，理學之本源既昧，而脈絡更無法貫通，終其生，必無理學之實用。

今世之言理學者，多就宋元明清四朝學案，及各家學說論說之，鮮能於群經之理證明。須知理學一途，我古聖先賢所言平治之道，悉不外理學之範圍。茲就《大學》、《中庸》、《論語》、《孟子》及朱、程、陸、王理學之異同，析明其本源，以明治心性之學之途也。

學庸之理

大學曰：「大學之道，在明明德，在親民，在止於至善。」(註三六)「親民」二字大概人人都能明瞭。但「親民」要出之於「明德」，而「明德」未明之人，則斷不能「親民」。明德未明之人如親民，是害民之政日多，而民終難得其利。此種分析大學中之體用關係，則鮮有人知。

「明德」如何「明」？曰：「在止於至善」。「至善」在身內抑在身外，「止」又止於何處？曰：止在身內心上也，「易動而難靜者，人心也」，此止乃以人心言也。大學曰：「知止而後有定，定而後能靜，靜而後能安」。止於至善之功夫，是一步一

(註三六) 大學首章。

步以進入至善之境者，是身體力行者，非徒托諸空言而得剿襲其說以言學者也。

「明德」既明之人，究竟有何好處？曰：朱子曰：「明德者，人之所得於天，而虛靈不昧，以具眾理，而應萬事者也」（註三七）。「具眾理而應萬事」，說明明德既明之大作用，即明德明，而後能親民也。故下文又說：「而後能慮，而後能得」，故「而後」二字，不可忽略讀去。堯典曰：「協和萬邦，黎民於變時雍」（註三八）。堯時人民能和睦共處，乃堯帝本身能「克明竣德」。「竣德」即明德，「協和萬邦」是堯能明明德於天下，決非僥倖而致之也。

孝經曰：「先王有至德要道，以順天下，民用和睦，上下無怨」（註三九）。古時太平天下之方法，悉是大學之道也。

中庸曰：「天命之謂性，率性之謂道，修道之謂教。」朱子曰：「性，即理也」（註四〇）是理學之理，出自天，而率性之道，亦即率天理也。今人鮮能率性者，豈人之無性耶？人皆有性，故是人即無不可率性，而不率性者，性有所蔽之故也。董仲舒曰：「天不變，道不變」（註四一）。故聖人之教，歷萬古而不變，以性爲教也。

中庸又曰：「戒慎乎其所不睹，恐懼乎其所不聞。莫見乎隱，莫顯乎微，故君子慎其獨也。」「獨」，何也？「獨」之所在，即性之所在也。朱子曰：「獨者，人所不知，而

（註三七）見大學朱熹章句首章句。

（註三八）見尚書堯典第一卷。

（註三九）見孝經開宗明義第一。

（註四〇）見中庸朱熹章句第一章注。又孟子告子章句上，公都子問性章末段注，程子曰：「性即理也。」又近思錄卷一道體，伊川曰：「性即理也。」

（註四一）見漢書董仲舒賢良策對三。

己獨知之地也」（註四二）。此解釋非常明白，但一般人之見解，很少達到，致令人莫明其獨中之妙。」「慎獨」究竟有何等景象？中庸曰：「喜怒哀樂之未發謂之中。」未發之謂中，是慎之至，必至此境，而後獨乃見也，又即是人之明德所由以明也。傳曰：「民受天之中以生，所謂命也」（註四三）。亦即自性見也。

「發而皆中節謂之和」。「中節」，人之情也。情能中節者，王夫之所謂「著情之正，則發中節」（註四四）。孟子所謂：「乃若其情，則可以爲善矣」（註四五），此若情之法，出於未發之中也。故曰：中也者，天下之大本也；和也者，天下之達道也。」「致中和，天地位焉，萬物育焉。」其作用如此之大。

而世之非理學者，又每不明事理，而泛言高論，曰某某是，某某非，是皆自誤以誤人也。莊子所謂：「瞽者無以與乎文章之觀，聾者無以與乎鐘鼓之聲。豈爲形駭有聾盲哉？夫知亦有之」也（註四六）。

論孟之理

理者，一而已，前乎孔孟而孔孟復生，亦不外此理。論語二十篇，與弟子言之最多者，仁與孝悌，即性中所出也。孟子曰：「惻隱之心，仁也。羞惡之心，義也。恭敬之心，禮

（註四二）見中庸朱熹章句第一章注。
（註四三）見春秋經傳集解成公下第十三傳十三年春。
（註四四）見王船山全集讀四庫大全說卷二第十四頁，國風出版社印行。
（註四五）見孟子告子章句上。
（註四六）見莊子逍遙遊篇。

也。是非之心，智也。仁義禮智，非由外鑠我者也，我固有之也。」(註四七)。固有何?性也。又曰：「人之所不學而能者，其良能也。所不慮而知者，其良知也。孩提之童，無不知愛其親也，及其長也，無不知敬其兄也」程子註曰：「良知良能皆無所由，乃出於天，不係於人」。愛親，孝也。敬長，悌也。孔子但就人人所固有者以立教，無性外而有所添入者，故孔子之教，性教也。以「人治人，改而止」也(註四八)。故能「有教而無類」(註四九)，因性爲人同有也。

或曰：「孔子不直接言人之性，而言仁言孝者，何也?」曰：下學而上達，「不踐跡，亦不入於室」(註五0)，若「行遠必自邇，登高必自卑」(註五一)。聖人之教，是愚夫愚婦可與知與能之教也。

孟子願學孔子，孟子道性善，即道性理也。何以言之?蓋理學之源，在性也。故後人謂理學，亦謂之性理學。朱子曰：「七篇之中，默識而旁通之，無非此理」(註五二)。程子則謂「發前聖之所未發，而有功於聖人之門」者(註五三)，皆係謂孟子能說明性理也。

後之人但見孟子言仁義，孰知言仁義，即言人之性也。言仁義，即言理學也。理學豈孔孟爲然哉!自堯舜禹湯文武周公，見於六經者，無非此理也。

(註四七) 見孟子章句上，公都子問性章。
(註四八) 見中庸第十三章。
(註四九) 見論與衛靈公第十五。
(註五0) 見論語先進第十一。
(註五一) 見中庸第十五章。
(註五二) 見孟子滕文公章句上首章末段注。
(註五三) 見孟子公孫丑養氣章末段注。

天命之謂性

中庸曰：「天命之謂性」。朱子解此命字曰：「天以陰陽五行，化生萬物，氣以成形，而理以賦焉，猶命令也」（註五四）。此善讀周子太極圖及太極圖說者乃能知之。

子貢曰：「夫子之文章，可得而聞也；夫子之言性與天道，不可得而聞也」（註五五）。天道即天命，不可得聞，是難得聞，非孔子不言也。程子嘗曰：「下學而上達」，上達一層，則難以言說，我觀孟子善養浩然之氣，曰：「其爲氣也，至大至剛，以直養而無害，則塞於天地之間」（註五六）。是孟子養浩然之氣，即養天命也。命中有氣流行，故孟子以氣言之，此孟子之善言性也。因公孫丑之節節追問，故又以上一層告之，此即孟子之因材施教乎！

孔子「五十以學易」（註五七），「五十而知天命」（註五八）。「不知命，無以爲君子」（註五九），易之言，言天地萬物之所由來，易之蘊，皆言天命也。天不有命，萬物無從而肖之，聖人亦無從而「文言」（註六〇）之也。孔子之知命，即因學易以知之乎？孔子曰：「天地絪蘊，萬物化醇」（註六一）。是萬物之化，出於天地之絪蘊，絪蘊不即天之所以爲命乎！天命性於人，殆亦由是也。

（註五四）見中庸朱熹章句首章注。
（註五五）見論語公冶長第五。
（註五六）見孟子公孫丑養氣章。
（註五七）見論語述而第七章。
（註五八）見論語爲政第二。
（註五九）論語堯曰。
（註六〇）孔子贊易十翼之一
（註六一）見孟子滕文公章句上，滕文公問爲國章。

老子曰：「恍兮忽兮，其中有物；窈兮冥兮，其中有精」(註六二)。又曰：「有物混成，先天地生」(註六三)。混成與窈冥，皆狀天之所以爲命乎！易曰：「大哉乾元，萬物資始，乃統天」(註六四)。老子之學，易學也。孔子之問禮，亦即問此天命，「就有道者而正之」(註六五)也。史記老子列傳云：「孔子去，謂弟子曰：鳥，吾知其能飛；魚，吾知其能游；獸，吾知其能走。走者可以爲罔，游者可以爲綸，飛者可以爲矰；至於龍，吾不能知其乘風雲而上天。吾今日見老子，其猶龍邪！」龍也者，易取喻乾元。元，何物也？乾道變化，各正性命，亨利貞，皆出自元。孔子也、老子也，古人之學也，皆天之元也，天命之謂也。

朱程陸王之異同

理學之歸宿，一而已。深於陸王者，不毀朱程；深於朱程者，不薄陸王。象山與朱子論學，象山有詩曰：「簡易工夫終久大，支離事業竟浮沉」(註六六)。易曰：「乾以易知，坤以簡能」(註六七)。乾坤之理，出於簡易，象山得理學之根，故有此詩，此心得甚深之言也。然朱子不重此說者，謂初學無以達之，故其詩曰：「舊學商量加邃密，新知涵養轉深沉。」中庸曰：「自誠明謂之性」(註六八)，象山以之。又曰：「自明誠謂之教，」朱子以之。

(註六二) 見老子本義第十八章。
(註六三) 見老子本義第二十一章。
(註六四) 見周易乾卦彖辭。
(註六五) 語出論語學而第一。
(註六六) 見陸象山全集語錄第二七六頁，世界書局版。
(註六七) 見周易繫辭上卷七第一頁。
(註六八) 見中庸章句第二十一章。

陽明之學，全在傳習錄。陽明初主靜坐，終言良知，於經傳亦多所發明。昔彭尺木爲南畇遺書序曰：「道之不統久矣。宋之世，朱與陸分途；明之世，王與羅異轍。爲其徒者，各峻城塹，操戈戟，伐異黨同，奮死力鬥爭，而不知其本一祖之系也」（註六九）。又曰：「朱子未嘗以離德性道問學也，而後之道問學者，諱言德性矣。朱子未嘗不以虛靈不昧爲心也。而後之言心者，且以虛靈爲大戒矣。夫不虛不靈，昏且塞矣。德性之不知，而徒問學之務，以是爲朱子之學，豈不陋哉！」

陽明常與弟子言曰：「吾之學，與朱子異者，在入手處，若有心以異者非是。其他注解，動不得他一字」（註七〇）。

吾觀中庸孔子告哀公，以博學、審問、慎思、明辨、篤行五者爲爲學切要功夫，亦是從讀書窮理入手。朱子之所主張，易於普及，且不至導人以入空虛，窮老而無所歸宿也。

孟子曰：「博學而詳說之，將以反說約也」（註七一）。約，即窮理也。顏子曰：「夫子循循然善誘人，博我以文，約我以禮」（註七二）。禮，即性理也。朱子誨人，凡博而不能約者，不語人以博之也，常曰：「後世書愈多，而理愈晦，學者之事愈煩，而心愈亂」（註七三）。與陽明所謂：「祖龍焚書，不應焚及六經，若取當世之有害於道者焚之，則亦功同孔子之刪

（註六九）見王先謙續古文辭類纂卷四序跋類一。
（註七〇）語意見王陽明傳習錄卷一第十八頁，世界書局版。
（註七一）見孟子離婁章句下。
（註七二）見論語子罕第九。
（註七三）見朱子語錄。

定」（註七四）。

理學何以不倡明

近人唐文治（註七五）辦國學館有言曰：「歷觀前代，政治倡明，人才輩出，莫不由於理學倡明。」而今之時代，非理學者，又何其多也。抑知理學之道之不明，由於修道之教不立也。非理學者之過也，教者之過也。人之性猶是也，教之道不由是也。

舜命契曰：「百姓不親，五品不遜，汝作司徒，敬敷五教，在寬」（註七六）。五教，即五倫。孟子曰：「使契為司徒，教以人倫，父子有親，君臣有義，夫婦有別，長幼有序，朋友有信」（註七七）。教民以五倫，即教之以理學也。在寬者，放勳曰：「勞之來之，匡之直之，輔之翼之，使自得之」（註七八）。自得者，人人能有之於所性也。虞廷政教，概從性上建立，從知堯舜之太平，五倫之教，愚夫愚婦，與知與能也。

孟子曰：「夏曰校，殷曰序，周曰庠，學則三代共之，皆所以明人倫也。人倫明於上，小民親於下。有王者起，必來取法，是為王者師也」（註七九）。後人謂周禮為開萬世太平之書，其運用多在禮樂，抑知禮樂之為教，在虞廷已有之。伯夷典禮，夔典樂，樂合禮為用，「蕭

（註七四）語意見陽明傳習錄卷一第五頁，世界書局版。
（註七五）為遜清進士，民初於南京辦南京國學館，有治言月刊雜誌刊行於世。
（註七六）見尚書堯典。
（註七七）見孟子滕文公章句上。
（註七八）同上。
（註七九）見孟子滕文公章句上，滕文公問為國章。

韶九成，鳳凰來儀」(註八〇)，禽鳥且爲感化，何有於人，直而不溫，簡而爲傲哉！孔子曰：「興於詩，立於禮，成於樂」(註八一)。

程子伊川曰：「天下英才，不爲少矣，特以道學不明，故不得有所成就，夫古之詩，如今之歌曲，雖里閭童稚，皆習聞之，而知其說，故能興起，今雖老師宿儒，尚不能說其義，況學者乎？是不得興於詩也。古人自洒掃應對，以至於冠昏喪祭，莫不有禮，今皆廢壞，是以人倫不明，治家無法，是以不得立於禮也。古人之樂，聲音所以養其耳，彩色所以養其目，歌詠所以養其性，舞蹈所以養其血脈，今皆無之，是以不得成於樂也。是以古之成材也易，今之成材也難」(註八二)。

有子曰：「禮之用，和爲貴，先王之道，斯爲美」(註八三)。禮以養人之天理，樂以和人之元氣，家絃戶誦，人欲不歸向於自性之中，不可得也。孟子曰：「民日遷善，而不知所以爲之」(註八四)。老子曰：「眾人熙熙，如享太牢，如登春臺」(註八五)。

自漢以後，世之言教者，既灰燼其禮，並崩潰其樂，而淫樂忒禮大作。詩曰：「天之牖民，如壎如篪，如璋如圭，如取如攜，攜無曰益，牖民孔易，民之多辟，無自立辟」(註八六)。理學不明之禍小也哉！

時至今日，政煩矣，民勞矣，學雜矣，民所以無由而率性矣。孔子曰：「誦詩三百，

(註八〇) 語出尚書益稷。
(註八一) 見論語泰伯第八。
(註八二) 語意見近思錄卷十一教學條。
(註八三) 見論語學而第一。
(註八四) 見孟子盡心篇。
(註八五) 見老子本義第十七章。
(註八六) 見毛詩大雅卷十七民生之什板章。

授之以政不達，使於四方，不能專對，雖多亦奚以為」(註八七)。今言理學之實，已少人知，理學之名，尚有人談及，若再緩數十年，人或厭聞理學之名矣，遑問其實耶！世之亂不堪設想。

橫渠先生曰：「為天地立心，為生民立命，為往聖繼絕學，為萬世開太平」。理學之提倡，誠今日之急務。

(註八七) 見論語子路第十三。

孔孟精微

二千餘年前，孔孟之學說已立。二千餘年後，吾人崇拜孔孟之學說，歷久而彌新者，夫勢異而時遷，端賴孔孟學說繼承以不沒也。故道一而已矣。前乎孔孟治國，能合孔孟學說者，則國以昌。後乎孔孟有天下，離孔孟學說者則無不敗。何也？孔孟之學說「由百世之後，等百世之王莫之能違耶」，是故君子「動而世爲天下道，言而世爲天下法，行而世爲天下則，遠之則有望，近之則不厭」(註八二)，「辟如天地之無不持載，無不覆幬，辟如四時之錯行，如日月之代明」(註八三)人雖欲自絕，其何傷於日月乎，多見其不知量也。

孔孟同道，相得而益彰也。

孔子生值衰周，去孔子稍遠。孟子之書，自漢唐以來，不列於學官，唐陸氏經典釋文不之及。司馬光、晁說之之倫，且相疑詆。二程子出，始表彰之。朱子始列爲四書，採舊說之尤者，爲集注七卷。孟子一則曰：「乃所願，則學孔子也」(註八四)。再則曰：「予未得爲

(註八二) 中庸第二十九章。
(註八三) 中庸第三十章。
(註八四) 孟子公孫丑上第二章。

孔子徒也，予私淑諸人也」(註八五)。孟子學孔子，其說猶有異於孔子乎！

孔子「祖述堯舜」，孟子「言必稱堯舜」(註八六)，又曰：「我非堯舜之道，不敢陳於王前」。孔子言仁、言義、言禮、言智、言信，見於論語者，不一而足也。孟子更說：「惻隱之心，仁之端也；羞惡之心，義之端也；辭讓之心，禮之端也；是非之心，智之端也」。「仁義禮智，非由外鑠我者也，我固有之也」(註八七)。故孔子之學說，得孟子而益彰，孟子得孔子，而孟子之學說更有據。區分孔孟之學說，不知其所同者，非不知孟，亦不知孔矣。

孟子善學孔子，且善發明孔子之學說者也。

孟子七篇，其學說於孔子最有力者，前賢皆曰在養氣一章，孟子告公孫丑曰：「我知言，我善養吾浩然之氣」(註八八)。夫知言出於養氣。知言，則知詖辭、淫辭、邪辭、遁辭(註八九)之所出。養氣則可去詖辭、淫辭、邪辭、遁辭之所生。孔子曾言「吾道一以貫之」(註九〇)，養氣者，即養此一也。是氣也，人皆有之，不待外求，故曰「養」，曰：「其爲氣也，至大至剛，以直養而無害，則塞於天地之間」學者果知所養，則孔子言仁、言孝悌等，不徒托諸空言，而能實有諸己矣。

(註八五) 孟子離下第二十二章。

(註八六) 中庸第三十章。

(註八七) 孟子告子上第六章。

(註八八) 孟子公孫丑上第二章。

(註八九) 同上。

(註九〇) 論語里仁第十五章。

且其善養一法，在一「直」字，凡養不得法，浩然之氣不生者，皆在心之不直，直何？即「必有事焉，而勿正，心勿忘，勿助長也」(註九一)。正，未來之心動也。忘、昏沉也。助長、有爲也。

聖賢變化氣質，導人以同登聖域賢關，濂溪至靜，明道主敬，朱子窮理格物，有一能出此孟子之功夫耶？

噫！前乎孔子者，堯舜禹有十六字之心傳，以別人心道心之危微；後乎孔子而直接其薪傳，惟孟子別開門面有此十四字之授受，而老子「專氣致柔」之說不能專美於前矣。

孔孟學說其上達之法，一以禮為歸者也。

先王經營天下，而天下能至太平盛世，其道何歸乎？往迹俱在，千緒百端，一納之以禮而已。昔「韓宣子適魯，見易象與春秋，曰周禮盡在魯矣。吾今乃知周公之德與周之所以王」。宣子何以深識遠慮能若是也！夫易言天之所以然，春秋言王法之不可亂，其事似不相若也，而宣子斷然確知爲周禮，何也？朱子曰：「禮，天理之節文，人事之儀則也」。易象與春秋，分之則爲二書，合之則爲一理也。濂溪周子亦曰：「禮，理也」。知周公之德，周公德與天相合也！知周之王，王天下必以禮也。論語記孔子曰：「能以禮讓爲國乎，何有」(註九二)！又曰：「道之以德，齊之以禮，有恥且格」(註九三)。是孔子行政，亦重在以

(註九一) 同上。
(註九二) 論語里仁第十三章。
(註九三) 論語爲政第三章。

禮也。又曰：「不知禮，無以立也」（註九四）。「興於詩，立於禮，成於樂」（註九五）孔子言教育，亦重之以禮也。

孟子謂景春曰：「是焉得爲大丈夫乎？子未學禮乎」（註九六）。又曰：「無禮無義，不信仁賢，則國空虛。無禮義，則天下亂。無政事，則財用不足」（註九七）「不仁不智，無禮無義，人役也」（註九八）。「賢君必恭儉禮下，取於民有制」（註九九）。孟子一政教，亦一之以禮也。聖人制定禮法以治世之重點，皆備於五倫。五倫者，一夫婦，重有別也。禮記曰：「婚姻之禮廢，則夫婦之道苦」。孟子曰：「子未學禮乎？丈夫之冠也，父命之。女子之嫁也，母命之。往送之門，戒之曰：往之女家，必敬必戒，無違夫子。以順爲正者，妾婦之道也」（註一〇〇）。「不待父母之命，媒妁之言，鑽穴隙相窺，踰牆相從，則父母國人皆賤之」（註一〇一）。孔子讀詩至「妻子好合，如鼓瑟琴，兄弟既翕，和樂且耽，宜爾室家，樂而妻帑」（註一〇二）。子曰：「父母其順矣乎」。又曰：「關雎之聲，洋洋乎盈耳哉」。琴瑟相應，如夫唱婦隨，關雎夫婦之樂，王道之所始，孔子皆重之。重人之能有夫婦也。其答哀公問政，「天下之達道

（註九四）論語堯曰第三章。
（註九五）論語泰伯第七章。
（註九六）孟子滕文公第二章。
（註九七）孟子盡心下第十二章。
（註九八）孟子公孫丑第六章。
（註九九）孟子滕文公上第三章。
（註一〇〇）孟子滕文公下第二章。
（註一〇一）孟子滕文公下第三章。
（註一〇二）中庸第十五章，詩小雅常棣。

五」(註一〇三)，達道亦重夫婦。有夫婦，然後有父子，父子重有親也。

孟子言「古者易子而教，父子之間不責善，責善則離，離則不祥莫大焉」(註一〇四)。孔子訓伯魚曰：「學禮乎！對曰：未也。不學禮，無以立，鯉退而學禮」(註一〇五)。又曰：「汝為周南召南已乎，人而不為周南召南，其猶正牆面而立也與」(註一〇六)。孔孟之言父子有親，悉親之以教育，故人樂有賢父兄也。

次君臣，君臣重有義也。孔子言「君使臣以禮，臣事君以忠」(註一〇七)。君道，臣道，不外以禮以忠。

次長幼，長幼重有序也。孟子曰：「弟子入則孝，出則弟，守先王之道以待後學者」(註一〇八)。孟子曰：「申之以孝弟之義，頒白者，不負戴於道路矣」(註一〇九)。學重童蒙，及王道之成功，亦不外人民之能孝能弟而已。

次朋友，朋友重有信也。子曰：「晏平仲善與人交，久而敬之」(註一一〇)。孟子曰：「信於友有道，事親弗悅，弗信於友矣。悅親有道，反身不誠，不悅於親矣」(註一一一)。聖王普遍推

(註一〇三) 中庸第二十章。
(註一〇四) 孟子離婁第十八章。
(註一〇五) 論語季氏第十五章。
(註一〇六) 論語陽貨第十章。
(註一〇七) 論語八佾第十九章。
(註一〇八) 孟子滕文公下第四章。
(註一〇九) 孟子梁惠王上第三章及末章。
(註一一〇) 論語公冶長第十六章。
(註一一一) 孟子離婁上第十二章。

行大道於天下，全以五倫教育爲內涵，而五倫之道德行爲能遍行於天下，則不外以禮運轉施行也。

聖人制禮，又繼之以樂，孔孟之學說，於樂又三致意焉。

魯論記孔子論樂、正樂、贊樂，不一其處。孟子論樂最精者，則在「金聲也者，始條理也。玉振之也者，終條理也。始條理者，智之事也。終條理者，聖之事也」（註一一二）。孟子以樂歸於人身，切指而歷言之，樂之和，達於人之和，樂之精，通於人之聖。

孟子又曰：「仁之實，事親是也。義之實，從兄是也。智之實，知斯二者，弗去是也。禮之實，節文斯二者是也。樂之實，樂斯二者，樂則生矣，生則惡可已也。惡可已，則不知足之蹈之，手之舞之」（註一一三）也。五常之深處，悉賴樂以致之，非樂無以致其精也。終之以「暢於四肢，發於事業，美之至也」。與孔子「在齊聞韶，三月不知肉味，曰不圖爲樂之至於斯也」（註一一四），一也。

中庸言修道之謂教，子思引孔子之言，極之於周公制禮作樂，又贊之以「明乎郊社之禮，禘嘗之義，治國其於示諸掌乎」（註一一五）。「大哉聖人之道，洋洋乎！發育萬物，竣極於天」（註一一六）。惜今日「八音克諧，鳳凰來儀」之盛，無以再接於吾人耳目。

（註一一二） 孟子萬章下首章。
（註一一三） 孟子離婁上第二十七章。
（註一一四） 論語述而第十三章。
（註一一五） 中庸第十九章。
（註一一六） 中庸第二十七章。

今日樂雖多，其猶古之樂乎？濂溪周子有言：「古者聖王制禮法，修教化，三綱正，九疇敘，百姓太和，萬邦咸若。乃作樂以宣八風之氣，以平天下之情。故樂聲淡而不傷，和而不淫。入其耳，感其心，莫不淡且和焉。淡則欲心平，和則躁心釋。優游平中，德之盛也。天下化中，治之至也。是謂道配天地，古之極也。後世禮法不修，政刑苛紊，縱欲敗度，下民困苦。謂古樂不足聽也，代變新聲，妖淫愁怨，導欲增悲，不能自止。故有賊君棄父，輕生敗倫，不可禁者矣！嗚呼！樂者古以平心，今以助欲。古以宣化，今以長怨。不復古禮，不變今樂，而欲至治者，遠矣」（註一一七）。陽明先生曰：「今之戲子，若將妖淫詞曲減去，只演忠孝故事，使人心易曉，無意中感化良知起來，卻於風俗有益」。孝經言「移風易俗，莫善於樂」（註一一八）。妖聲豔詞之化也亦然。

孔孟文武兼備之聖人也。

「定公十年，魯與齊侯爲會於夾谷，孔子相，犁彌言於齊侯曰：孔子知禮而無勇，若使萊人以兵劫魯侯，必得志焉。齊侯從之，孔子以公退曰：士兵之，兩君合好，而裔夷之俘，以兵亂之，非齊君所以命諸侯也。裔不謀夏，夷不亂華，俘不干盟，兵不偪好，於神爲不祥，於德爲愆義，於人爲失禮，君必不然。齊侯聞之遽避之。及盟，孔子爭侵地，齊卒歸魯鄆讙龜陰之田」（註一一九）。後世外交者曰：能戰而後能和，兵法曰：「不戰而能屈人之

（註一一七）周子通書樂上第十七。
（註一一八）孝經廣要道第十二。
（註一一九）十三經注疏春秋左傳注疏卷五十六。

兵，古之善戰也」(註一一〇)。孔子有焉。「子路曰：子行三軍則誰與？子曰：「暴虎馮河，死而無悔者吾不與也。必也臨事而懼，好謀而成者也」(註一一一)。「子之所慎，齊戰疾」(註一一二)。元師乃三軍之首，能慎懼於內，而後能戰於外，戰無不克也。孟子曰：「仁人無敵於天下」(註一一三)。「善戰者服上刑」(註一一四)。「爭地以戰，殺人盈野，爭城以戰，殺人盈城，此所謂率土地而食人肉，罪不容於死」(註一一五)。「今之所謂良臣，古之所謂民賊也，君不同道，不志於仁，而求爲之強戰，是輔桀也」。孟子不尚戰，正孟子之深於作戰。故曰：春秋無義戰也(註一一六)。

孔孟係長於外交之聖人也。

孔子對哀公問政，曰：「柔遠人，則四方歸之」。「送往迎來，嘉善而矜不能，所以柔遠人也」(註一一七)。又曰：「遠人不服，則修文德以來之，既來之，則安之」(註一一八)。鄉黨篇記孔子「君召使擯，色勃如也，足躩如也。揖所與立，左右手，衣前後，襜如也。趨進，翼如

(註一一〇) 孫子兵法。
(註一一一) 論語述而第十一章。
(註一一二) 論語述而第十三章。
(註一一三) 孟子盡心章句下第三章。
(註一一四) 孟子離婁章句上第十四章。
(註一一五) 同上。
(註一一六) 孟子盡心章句下第二章、
(註一一七) 中庸第二十章。
(註一一八) 論語季氏首卓。

也。賓退，必復命曰：賓不顧矣」(註一二九)。聘於鄰邦，孔子「執圭，鞠躬如也。如不勝，上如揖，下如授，勃如戰色，足蹜蹜如有循」。鄰邦招待孔子，「享禮，則有容色。私覿，愉愉如也」(註一三〇)。或謂孔子於外交，似拘拘然而爲之者。非也，聖德之至，則動容周旋中禮，其敬君忠君之意，不覺露於形容也。

戰國之時，蘇秦張儀，日奔走於鄰邦，爲外交最有聲勢。而孟子則反是。齊宣王問：「交鄰國有道乎，曰：有，惟仁者，爲能以大事小，是故湯事葛，文王事昆夷。惟智者，爲能以小事大，故大王事獯鬻，句踐事吳。以大事小者，樂天者也。以小事大者，畏天者也。樂天者保天下，畏天者保其國」(註一三一)。朱子釋之曰：「畏天包含徧覆，無不周徧，保天下之氣象也。制節謹度，不敢縱逸，保一國之規模也」。

「宋牼將之楚，孟子遇於石丘，曰：先生將何之？曰：吾聞秦楚構兵，我將見楚王，說而罷之。楚王不悅，我將見秦王，說而罷之。二王我將有所遇焉。曰：軻也，請無問其詳，願聞其指，說之將何如？曰：我將言其不利也。曰：先生之志則大矣，先生之號則不可。先生以利說秦楚之王，秦楚之王悅於利，以罷三軍之師，是三軍之士，樂罷而悅於利也。爲人臣者，懷利以事其君。爲人子者，懷利事其父。爲人弟者，懷利以事其兄。是君臣、父子、兄弟終去仁義，懷利以相接，然而不亡者，未之有也」(註一三二)。後世以欺詐爲外交者，何其愚哉！

(註一二九) 論語鄉黨第三章。
(註一三〇) 論語鄉黨第五章。
(註一三一) 孟子梁惠王下第三章。
(註一三二) 孟子告子下第四章。

從井田立基，均貧富，弭大亂。井田，用心治國之制也。

非井田者，固不知井田之法也。泥於井田之法者，亦不可行井田之制。讀古人之書，師其精義之所在而已。因時而制宜，雖周禮爲元公致治太平之書，亦可興大亂於眉睫也。

貧富何以必均？

孔子曰：「有國家者，不患寡，而患不均。不患貧，而患不安。蓋均無貧，和無寡，安無傾」。孟子曰：「夫仁政必自經界始，經界不正，井地不均，穀祿不平，是故暴君汙吏必慢其經界。經界既正，分田制祿，可坐而定也」(註一三三)。又曰：「是故明君制民之產，必使仰足以事父母，俯足以畜妻子，樂歲終身飽，凶年免於死亡……老者衣帛食肉，黎民不飢不寒，然而不王者，未之有也」(註一三四)。地權相若，則貧富相若。民安於國土，是爲保民。操縱地權，超越以致富者，舉可以法抑裁之。魯自定公稅畝，又十取其一，魯之弱也自茲始，有若告哀公曰：「百姓足，君孰與不足，百姓不足，君孰與足」(註一三五)？國欲周財用，必自充周下民之財用始。周公太平之書，所示者藏富於民也。

大學言平天下，重之以理財，而理財之害，又極之以「與其有聚斂之臣，寧有盜臣」(註一三六)。又：「小人之使爲國家，菑害並至，雖有善者，亦無如之何矣」(註一三七)。聚斂，負吾民

(註一三三) 孟子滕文公上第三章。
(註一三四) 孟子梁惠王上末章。
(註一三五) 論語顏淵第九章。
(註一三六) 大學末章。
(註一三七) 同上。

也。不知以民立國也，與井田之制相反也。

孟子言王道，首在復井田，謂井田之利曰：「鄉田同井，出入相友，守望相助，疾病相扶持，則百姓親睦」（註一三八）。井田何以能使民親睦？親睦於貧富均等也。國家之亂因伏藏於何處？孟子曰：「無恒產而有恒心者，惟士爲能。若民則無恒產因無恒心。苟無恒心，放辟邪侈，無不爲已」（註一三九）。董仲舒曰：「大富則驕，大貧則憂，憂則爲盜，驕則爲暴」。賈誼曰：「危民易與爲亂」。社會之憂患，每潛伏於隱暗。始則貧富歧視，繼則階級鬥爭，終則國破家亡。

嬴秦之兵，足破六國，而其亡也，起於鉏耰矜棘之間；商鞅開阡陌，民病於吞併而不安者久也；明崇禎非暴君也，而「李闖王，不納糧」六字口號，足以滅明。是知，民之變，緣於貧富之不均也，讀孔孟之書，言富國，不知富民；言救民之策。而戾於救民之方；言民權，而不知民易犯上作亂之故。「仰不足以事父母，俯不足以畜妻子，樂歲終身苦，凶年不免於死亡，此惟救死而恐不贍，奚暇治禮義哉」（註一四〇）！民感切膚之痛，禍之源也。

孔孟之學說，六經之精華也。

朱子曾言，四書爲讀六經之階梯。殆謂四書之義尚淺，六經之義尚深乎？乃六經之文尚多，孔孟之文尚約也。若登高，必自卑，若涉遠，必自邇。言近而旨遠者，善言也。守

（註一三八）孟子滕文公第十三章。
（註一三九）孟子梁惠王上末章。
（註一四〇）孟子梁惠王末章。

約而施博者，善道也。或謂六經之文易，論語有「加我數年，五十以學易，可以無大過矣」(註一四一)之歎。孟子七篇，於易一字未引及者，孟子不知易乎？曰：易言天道之所以然，中寓以人事吉凶悔吝之必至。天道在人，即性理之道也。孟子闡明性善之理，與告子諸人問答甚詳矣。孟子曰：「盡其心者，知其性也。知其性，則知天矣」(註一四二)。孟子處處洞達天人，非避易不言也。善易者不言易，而易自在其中矣！

孔孟之學說，大同之源泉也。

言大同，不識大同之所自出。每薄視小康，而不識小康乃大同之基礎。大同未探其本，大同何自而實現乎！大同之名記於禮記禮運。禮運者，明示大同必以禮爲運行也。禮之爲義大，人多不知。大同之名美，人皆豔羨。癡癡然嚮往之，甚者殘民以逞，能至之乎？蓋禮之推行也難，大同之發現也易。若禮之建設基礎正確穩固，日久，大同當自然而生也。故禮者，大同之母也！

孔子言禹湯文武周公由此其選也。選，才之美稱也。非薄禹湯也，論語諸書無片言薄視禹湯，孰知孔子說小康於大同之後之因？惟言偃知大同之根在小康，而小康之根又在禮。故復問曰：「如此乎禮之急也」，孔子告之曰：「夫禮先王所以承天之道，以治人之情，故失之者死，得之者生。詩曰：相鼠有體。人而無禮，人而無禮，胡不遄死」(註一四三)。言偃復問

(註一四一) 論語述而第十七章。
(註一四二) 孟子盡心上首章。
(註一四三) 詩經國風鄘相鼠篇。

曰：「夫子之極言禮也，可得而聞歟」？言偃又捨大同於不問，孔子又告之曰「我欲觀夏道，是故之杞，而不足徵也，吾得夏時焉。我欲觀殷道，是故之宋，而不足徵也，吾得坤乾焉」(註一四四)。孔子不避行路艱難，以求二代之禮，乃欲及時以見大同之心雖切，欲及時以見小康之心更深也。曰「得夏時焉」，人生於寅，大同必教授人時也。曰「得坤乾焉」，坤乾即歸藏。天道以收藏而後貞下又起元，行政於民，惟禮則由陰作也。曰「從其初，從其朔」，惟禮乃能復人之初，復人之朔也。

篇中孔子歷舉禮之所由來，篇末終之以是謂大順(註一四五)。大何？人生於天地之間，惟性惟大，惟禮能復人之所大。大，人人所同有。大者順，即大者同也。

觀大同之實象見於書冊者，莫若堯舜。當堯之時，舜代以命契曰：「百姓不親，五品不遜」，其時不獨大同未能，即小康亦未達也。遜五品者，即小康所謂以正君臣，以篤父子，以睦兄弟，以和夫婦也。其後契「敬敷五教」，而堯聽野人之歌曰：「帝力於我何有哉」，是「民曰遷善，而不知所以爲之者」(註一四六)。何以能至此哉！非五教之所致哉！歌又曰：「不識不知，順帝之則」(註一四七)，有一夫一婦不得其所哉！

是則堯舜之大同，無不歷歷來自小康也，若不識小康之治由於禮，而舍小康以求所謂「故人不獨親其親，不獨子其子，使老有所終，壯有所用，幼有所長，矜寡孤獨廢疾者皆有所養，男有分，女有歸，貨惡其棄於地也，不必藏於己，力惡其不出身也，不必爲己，

(註一四四) 十三經禮記注疏卷第二十一禮記禮運第九。
(註一四五) 十三經禮記注疏卷二十二禮運第九。
(註一四六) 孟子盡心上第十三章
(註一四七) 詩經大雅文王之什皇矣篇

是故謀閉而不興，盜竊亂賊而不作，故外戶而不閉，是謂大同」(註一四八)。則是曲其桿，而欲影之直也；無其根，而欲枝之沃也。

孟子言仁義，言禮之所出也。極言堯舜之道，而不明言大同，蓋堯舜乃大同之祖也。二聖賢皆善言性善，並樹立大同之準繩，「以人治人，改而止」(註一四九)。惟性始可產生大同也。禮乃性之節文，故名雖爲二其實一也。

前乎孔孟善言大同之治者，莫若老子，然老子曰：「禮者忠信之薄，而亂之首也」(註一五〇)，老子之薄禮，不解大同之治乎？曰：老子謂禮，指當時周衰之禮，即禮運所謂僭國、亂國、疵國、脅君，君與臣同國之禮也。衰周之禮，不本乎大一之禮及孔子曰：「人而不仁於禮何」(註一五一)之禮也。老子曰：「甘其食，美其服，安其居，樂其俗，鄰國相望，雞犬之聲相聞」(註一五二)，此大同之真象也，又曰：「聖人不積，既已爲人己愈有，既已與人，己愈多。天之道，利而不害，聖人之道，爲而不爭」(註一五三)。人與人，皆以禮也。愈多愈有者，禮不一人有，明德明於天下，大同也。不害不爭，惟禮使人恢復所性，各盡所能，各得所欲也。此大道之所以行，天下之所以爲公也。

人說老子尚無爲，造大同要無爲也，老子五千言，皆大同之真境。有爲，禮之始也。

(註一四八) 十三經禮記注疏卷第二十一禮運第九。
(註一四九) 見中庸第十三章。
(註一五〇) 老子第三十八章。
(註一五一) 論語八佾第三章。
(註一五二) 老子第八十章。
(註一五三) 老子第八十一章。

無爲，禮之果也。禮到無爲，人人身有其禮，無大同之名，享大同之實。

前乎孔孟，上接堯舜而實出大同之治者，莫若文王。試觀詩頌「南有喬木，不可休息；漢有游女，不可求思。漢之廣矣，不可泳思！江之永矣，不可方思」(註一五四)！夫漢、非文王之地也！民感文王之化，何若是！不法紂而師文王，人盡能思無邪也。又「肅肅兔罝，施於中林；赳赳武夫，公侯腹心」(註一五五)，何文王於民，能材眾多，國雖小，而所同無不大邪！又「虞芮質厥成，文王蹶厥生」(註一五六)。聞虞芮二君之言，相率而歸者五十餘國，文王欲不大同，不可得也。夫文王未號召紂民以大同也，而紂之民同於文王者，文王所操者大也。

「昔者，文王之治岐也，耕者九一，仕者世祿，關市譏而不征，澤梁無禁，罪人不孥」(註一五七)，處處皆以禮也，故能以百里昌，三分天下有其二也。其後周公之城洛邑也，率天下諸侯以祀文王，歌曰：「於穆清廟，肅雝顯相。濟濟多士，秉文之德，對越在天。駿奔走在廟，不顯？不承！無射於人斯」(註一五八)！周公頒周禮於天下，亦以禮察諸侯之向背。而又頒之以周禮者，天下雖大同，惟禮不廢而大同乃可久長也。

惜鹿鳴廢，而和樂之禮缺矣。四牡廢，而君臣之禮缺矣。皇皇者華廢，而忠信之禮缺矣。棠棣廢，而兄弟之禮缺矣。伐木廢，而朋友之禮缺矣。自幽厲以及秦漢興，去古未遠，

(註一五四) 詩經國風周南漢廣篇。
(註一五五) 詩經國風周南兔罝篇。
(註一五六) 詩經大雅文王之什緜篇。
(註一五七) 孟子梁惠王第五章。
(註一五八) 詩經周頌清廟之什清廟篇。

禮可復而終不復，悠悠二千餘歲，悲哉！

孔孟誨人，俱引而不發，其淺顯處，婦孺皆知，其深蘊處，天地亦不能外也。

論語子貢稱「夫子之文章，可得而聞也，夫子之言性與天道，不可得而聞也」(註一五九)。孟子則詳言性理，觸類旁通，處處皆是，孟子與孔子背道而馳乎！曰：聖賢之言，其精處都在性與天道，舍此，別無所言也。

昔孔子見老子，退謂弟子曰：「鳥吾知其能飛，魚吾知其能游，獸吾知其能走，走者可以爲罔，游者可以爲綸，飛者可以爲矰，至於龍，吾不能知其乘風雲而上天，吾今見老子，其猶龍邪」(註一六〇)。吾人讀孔孟之言，若深思而詳玩之，亦若是而已。夫孔子之文章，乃孔子之德表於外者，威儀文辭，皆足見孔子之性與天道也。

王陽明先生曰：「禮之實，有諸內之謂道，形諸外之謂文」，學人不可徒聞之耶，必做到躬行而實踐也。論語曰：「性相近也，習相遠也」(註一六一)。相近，聖凡平等也。相遠，習不善，則與性相離也。孔子何嘗不與門人以言性哉。

孟子論桀紂之惡，曰：「乃若其情，則可以爲善矣，乃所謂善也。若夫爲不善，非才之罪也」(註一六二)。若其情之若，順也，猶引也。其情，桀紂之情也。爲不善，非桀紂之性使然，

(註一五九) 論語公冶長第十二章。
(註一六〇) 史記老子列傳。
(註一六一) 論語陽貨第二章。
(註一六二) 孟子告子上第六章。

是桀紂之情爲物所誘，能若桀紂之情，則可順桀紂一己之性，而桀紂亦可爲堯舜也。才大者，事業之成功亦大，故不可罪。

孔孟之學說，固皆言性，萬語千言，固皆教人以約情於性也。性復，則學無餘事，功夫在能聞；次在能有諸己；終在與所聞無所差別。天不能言，孔孟代天以立言也；天命人以五常，孔孟代天以復人之性也。

孔孟欲以道德救天下，立為學說，不得已也。

孔子與七十二君，臨河而返，歸歟之歎，時在陳國，年已六十矣。曰：「歸與！歸與！吾黨之狂簡，斐然成章，不知所以裁之」(註一六三)。念後世人才宜即時而造就，故杏壇設教，弟子三千，道不行，差勝於乘桴浮於海耳！刪詩書，訂禮樂，修春秋，贊周易，使先王經世之大義，昭然於後世，亦豈初心乎！

試觀「公山弗擾以費畔，召，子欲往，子路不說，曰：『末之也已，何必公山氏之之也』，子曰：『夫召我者，而豈徒哉！如有用我者，吾其爲東周乎！』」(註一六四)！「吾豈匏瓜也哉，焉能繫而不食」(註一六五)！此生物之仁，同於天地之心，其視天下無不可變之人，無不可爲之事，惟患人之不用其道耳！

孟子亦週遊列國於宋、滕、齊、梁、鄒、魯，欲以道救世者也。其在齊退而有先志，

(註一六三) 論語公冶長第二十一章。
(註一六四) 論語陽貨第五章。
(註一六五) 論語陽貨第七章。

猶「三宿而後出晝」，曰：「王猶足用為善，王如用予，則豈徒齊民安，天下之民舉安，王庶幾改之，予日望之」（註一六六）。其欲安天下之民，與孔子欲為東周之意，一也。

其述伊尹耕於有莘之野，湯三使往聘之，既而幡然改曰：「與我處畎畝之中，由是以樂堯舜之道，吾豈若使是君為堯舜之君哉！吾豈若使是民為堯舜之民哉！吾豈若於我身親見之哉」（註一六七）！故推己及人，「己立立人，己達達人」（註一六八），乃孔孟一生之心志，皆不忍一身有道，而天下無道也。週遊各國，未嘗不欲仕也，又惡不由其道也。

其教學立學說，但恐前聖救世之心法不傳於後世而已耳。程伊川曰：「道不行，百世無善治，學不傳，千載無真儒。無善治，士猶得以明夫善治之道，以淑諸人，以傳諸後；無真儒，則天下貿貿焉莫知所之，人欲肆，而天理滅矣」（註一六九）。朱子引此語以終孟子七篇之集注，表明聖賢立言不得已之苦心，至深切矣。後之讀孔孟書者，徒竊取其文以肆著述哉！當求聖人之心之所在也。

王陽明先生曰：「精神道德言動，大率收斂為主，發散是不得已，天地人物皆然」（註一七〇）。又曰：「始皇焚書，得罪是出於私意，又不合焚六經，若當時志在明道，其取諸反經叛理之說，悉取而焚之，亦正暗合刪述之意」（註一七一）。

（註一六六）孟子公孫丑下第十二章。

（註一六七）孟子萬章上第七章。

（註一六八）論語雍也末章。

（註一六九）孟子盡心下末章注。

（註一七〇）上海商務印書館縮影明慶隆刊本王文成公全書語錄傳習錄上第七一頁。

（註一七一）同上傳習錄上第六一頁。

今日民生苦矣，然亦不患天下不太平，特患孔孟學說之不行。不患兩岸之相峙，而兩岸所應深以爲患者乃孔孟學說，昔日不曉明荒涼者，今更不曉明荒涼也。孔子曰：「天之將喪斯文也，後死者不得與於斯文也。天之未喪斯文也，匡人其於予何」。今孔孟學說俱在，痛惜者，兩岸皆棄之如敝蹝也。孟子曰：「君子反經而已矣，經正，則庶民興，庶民興，斯無邪慝矣」（註一七二）。詆毀孔孟者，亦無足責也。天不變，道不移，民亦猶是，爲政之道，若能如孔孟而不變，則聖賢之心志何難復見於今日哉！

子思子曰：「是以聲名洋溢乎中國，施及蠻貊，舟車所至，人力所通，天之所覆，地之所載，日月所照，霜露所隊，凡有血氣者，莫不尊親，故曰配天」（註一七三）。孟子曰：「予豈好辯哉？予不得已也，天下之生，久矣，一治一亂」（註一七四）。實踐孔孟學說，乃致祥和於天下唯一之道也。

（註一七二）孟子盡心下第三十七章。
（註一七三）中庸第三十一章。
（註一七四）孟子滕文公下第九章。

國家圖書館出版品預行編目資料

中庸集義評釋/ 毛寬偉著. -- 初版. -- 臺北市：
文史哲, 民 90
面： 公分.
ISBN 957-549-401-5(平裝)

1.中庸 – 註釋

121.2532 90020874

中庸集義評釋

著　者：毛　寬　偉
地址：臺北市永吉路120巷50弄2號5樓
電話：（〇二）二七六四一二七六
出版者：文史哲出版社
登記證字號：行政院新聞局版臺業字五三三七號
發行人：彭　正　雄
發行所：文史哲出版社
臺北市羅斯福路一段七十二巷四號
郵政劃撥帳號：一六一八〇一七五
電話886-2-23511028・傳真886-2-23965656
印刷者：百通科技股份有限公司
臺北市115南港區三重路19-5號10樓
電話886-2-26550320・傳真886-2-26550328
實價新臺幣三二〇元
中華民國九十一年(1996)元月初版
中華民國九十二年(2003)二月 POD 初版一刷

ISBN 957-549-401-5